Christiane Lutz

Ich krieg die Krise

HERDER spektrum

Band 5263

Das Buch

Kinder kommen in die Pubertät – das bedeutet schon den ganz normalen Wahnsinn für die Eltern. Doch was geschieht, wenn zwei Wechselzeiten aufeinander treffen: die Pubertät des bisher so lieben Kindes und die anstrengenden Wechseljahre, die von Frauen so viel Kraft fordern? Kein Wunder, wenn sich in dieser Situation Konflikte in der Familie hochschaukeln: denn jeder ist ja zunächst einmal mit sich selbst beschäftigt, braucht Zeit, um mit den Veränderungen im eigenen Leben, im eigenen Körper zurechtzukommen. Es verlangt viel von Müttern (und Vätern), die Ruhe zu bewahren, sich klar zu werden, was man eigentlich will: von sich selbst – und auch von den Kindern, die ja gerade in dieser Zeit gegen Grenzen rebellieren, die sie andererseits so notwendig brauchen. Die gesteigerte Vitalität, die Energie und Kraft, die Pubertierende entwickeln, ist natürlich auch eine Herausforderung an Eltern, die „im Wechsel" sind: denn diese müssen sich nun gerade damit auseinander setzen, dass die Haut faltiger, die Energie nicht mehr so wie vor 20 Jahren vorhanden ist: dass auch für sie ein neuer Lebensübergang ansteht. Die Autorin zeigt, dass es aufgrund dieses explosiven Gemisches nicht unbedingt zu Eskalationen kommen muss: Anhand vieler Beispiele aus der Praxis zeigt sie, wo sich für Mütter und Väter Lösungswege aus der doppelten Krise eröffnen, Wege eines versöhnlichen Umgangs miteinander – aber auch mit sich selbst.

Die Autorin

Christiane Lutz, Analytische Psychotherapeutin für Kinder und Jugendliche, Kontrollanalytikerin am C.G. Jung-Institut und an der Stuttgarter Akademie für Tiefenpsychologie. Ausgedehnte Vortragstätigkeit, Mitarbeit beim Rundfunk und Fernsehen. Zahlreiche Veröffentlichungen. Lebt in Stuttgart.

Christiane Lutz

Ich krieg die Krise

Pubertät trifft Wechseljahre

FREIBURG · BASEL · WIEN

Originalausgabe

Gedruckt auf umweltfreundlichem,
chlorfrei gebleichtem Papier

Alle Rechte vorbehalten – Printed in Germany
© Verlag Herder Freiburg im Breisgau 2002
www.herder.de
Satz: Rudolf Kempf, Emmendingen
Herstellung: fgb · freiburger graphische betriebe 2002
www.fgb.de
Umschlaggestaltung und Konzeption:
R·M·E München / Roland Eschlbeck, Liana Tuchel
Umschlagmotiv: © The Image Bank
ISBN 3-451-05263-6

Inhalt

Einleitung

Pubertät und Wechseljahre sind Umbruchsituationen. Dramatisch oder still verkehren sich bisherige Gefühle und Empfindungen häufig in ihr Gegenteil. Selbstverständlich gelebte Muster verlieren ihre Gültigkeit: Was Halt gab, scheint zu wanken. Vormals verbindliche Werte lösen sich auf, und nicht selten wird eine Leere spürbar, die dazu verführt, sie mit Aktivismus zu füllen, um nicht in den gähnenden Abgrund der Depression zu fallen. Pubertät ebenso wie die Wechseljahre signalisieren Wegmarken, sie sind gleichzeitig aber auch Wechselmarken: Die bislang häufig unproblematische und weitgehend geradlinige Entwicklung der Kinder ebenso wie der Eltern gerät ins Schlingern. Oftmals kommt es zu einem Bruch mit alten Lebensweisen. Neue, unbekannte Lebenssituationen warten darauf, erprobt zu werden.

Die Pubertät, die den Wechsel von der Kindheit ins Jugendlichenalter markiert, ist zumeist verbunden mit einem Verlust an Unbefangenheit und Vertrauen in eine friedliche, heile Welt. Dies spiegelt sich in der körperlichen und seelischen Disharmonie der Jugendlichen wider, die wiederum die Beziehung zu Gleichaltrigen wie zu Eltern und Erziehern schnell zu einem vielschichtigen Kriegsschauplatz werden lässt. In den Wechseljahren zeichnet sich der Wandel vom reifen Erwachsenenalter zum sicht- und spürbaren Älterwerden ab. Gewohnte Sicherheiten wanken. Es stellen sich körperliche Beschwerden ein, Belastbarkeit und Flexibilität lassen nach. Man ist einfach nicht mehr so locker, ist schneller ermüdet und neigt dazu, fremdes und eigenes Tun mit einer pessimistischen Akzentsetzung zu versehen.

Diese tiefen Entwicklungseinschnitte erzwingen auf beiden Seiten ein Loslassen gewohnten Tuns und Seins, ein Verlassen alter Positionen und damit verbunden die Herausforderung, Neuland zu betreten und sich dieses zu eigen, vertraut zu machen. Diese Neuorientierung löst Unsicherheiten und Ängste aus, die wiederum häufig mit aggressiven Reaktionen und Verhaltensweisen kompensiert werden.

Mit dem Verlust des Vertrauten schwindet oftmals auch Vertrauen, und zwar einerseits in die Welt, aber auch gleichzeitig in die eigene Person. Junge wie ältere Menschen suchen nach neuen, Halt gebenden Einstellungen und Verhaltensmustern, die Struktur und Sicherheit versprechen. Nicht selten werden diese Hoffnungen enttäuscht. Frustration breitet sich aus, die als scheinbare Feindseligkeit gegen die Nächststehenden gerichtet wird: Das sind einerseits die Eltern aus der Perspektive der Pubertierenden, andererseits die Kinder aus der Sicht der Eltern in den Wechseljahren. Jeder der Beteiligten, ob Heranwachsender, ob Mutter oder Vater, kriegt die Krise, dreht sich verzweifelt um die eigene Achse, um die subjektiv belastende und ängstigende Krisensituation schnellstmöglich zu lösen. Im Bemühen um eine rasche Entzerrung der verzahnten Konfliktfelder verstricken sich die Betroffenen nicht selten in ein Gefühlschaos. Hilflosigkeit und Verzweiflung münden in Vorwürfe und Rechtfertigungen. Schließlich fühlt sich jeder in seiner Güte und Größe verkannt, zieht sich beleidigt zurück. Man ist genervt, am Ende.

Muss das zwangsläufig so sein? Ist die vielzitierte Pubertät eine hoffnungslose Krisensituation, die den Eltern ein Übermaß an Verständnis, Geduld und Toleranz abverlangt? Führen die Heranwachsenden tatsächlich ein Terrorregime, dem sich Eltern in den Wechseljahren umso mehr beugen müssen, weil sie selbst in einer Krisensituation stecken, die wie in einem Spiegelbild ähnliche Nöte, Schwierigkeiten und Ängste abbildet, an denen die Jugendlichen selbst leiden? Muss das Aufeinanderprallen dieser Krisensituationen zwangsläufig zu entnervenden Machtkämpfen führen?

Krisen ganz allgemein lösen Verwirrung aus, sie fordern aber gleichzeitig Entwirrung. Krisen bedeuten Verwicklung und signalisieren im Gegenzug die Chance der Entwicklung. Krisen verlangen eine Neuorientierung auf dem Weg nach vorn: beim Pubertierenden zur Reife des Erwachsenen, bei den Frauen im Klimakterium und den Männern in der Midlife-Crisis zur Weisheit des älteren Menschen.

Wenn die Krise der Pubertät auf die der Wechseljahre prallt, liegen die besonderen Verständigungsschwierigkeiten häufig darin begründet, dass die Betroffenen so mit sich befasst sind, dass sie selten zusätzlich in der Lage sind, das Gegenüber objektiv wahrzunehmen und sich auf dessen Konflikte einzustellen. Der andere stört, weil er die eigene Verstörtheit mit seiner Störung verstärkt: Aus der subjektiven Sicht der krisengeschüttelten Erwachsenen in den Wechseljahren sind die Pubertierenden einerseits ständig Rebellierende, die bestehende Ordnungen auf den Kopf stellen wollen und doch andererseits auf dem Weg ins Erwachsenendasein immer wieder zu straucheln drohen.

Die Pubertierenden dagegen erleben ihre Eltern häufig so, als bewegten diese sich wie auf einer Kriechspur. Sie zu überholen, links oder rechts, ist selbstverständlich, im Grunde ein Sport. Langsamkeit, Bedächtigkeit, Gelassenheit, ein Abwägen von Situationen und Handlungsweisen empfinden sie als langatmiges Auf-der-Stelle-Treten. Sie haben das Gefühl, als würden ihre Eltern dadurch der Dynamik des Lebens nicht mehr gerecht und verharrten in überkommenen und veralteten Lebensmustern.

Diese unterschiedlichen Wahrnehmungen und Bewertungen münden nicht selten in einen aggressiven Schlagabtausch: Eltern fühlen sich provoziert, in Frage gestellt und verteidigen die eigene Position als Ausdruck von Reife und Lebenserfahrung. Und da die beste Verteidigung bekanntlich der Angriff ist, vergleichen Eltern die Haltung des Heranwachsenden häufig mit der eines Rasers, der blind ist für die Gefahren seines Weges. Die Jugendlichen kontern, indem sie ihrerseits Mutter und Vater als „Grufties", „Mumien" oder „Scheintote" bezeichnen. Tempo sei Ausdruck des Lebens, der Vitalität, überall dabei zu sein Vorrecht und Überlegenheit des Jugendlichen.

Wenn beide Seiten vorgefasste Meinungen über den anderen haben, statt sich zu bemühen, die Wirklichkeit so zu sehen, wie sie ist, sind Missverständnisse die Regel. Gegensätze verschärfen sich, Unterschiede werden aufgebauscht, gelegentlich auch dramatisiert, so dass die wechselseitigen Verletzungen zu tief sitzenden Kränkungen führen, die nicht selten eine Aufkündigung der Beziehung zur Konsequenz haben.

So wiederholt sich seitens der Eltern die Klage über die egoistischen, anspruchsvollen Pubertierenden, die überwiegend fordern und zur Rücksichtnahme, zur Einfühlung wenig bereit sind – und so wiederholt sich die Klage der Jugendlichen über Eltern, die kein Verständnis zeigen, in einer anderen Welt leben, mit der sie nichts anfangen können. Beide Seiten scheinen in ihrer negativen Perspektive wie gefangen, wodurch sich einerseits die gereizte Krisenstimmung verfestigt, andererseits parallel dazu die Bereitschaft, die Situation des anderen wahrzunehmen, abnimmt. Jeder neigt dazu, seine Krise zu kultivieren, indem er sich als Opfer der Umstände, der Situation und des verständnislosen Gegenübers begreift, sich gelegentlich auch dazu hochstilisiert. Der Täter ist immer der andere.

Schließlich hat jeder seine Krise! Als Folge entsteht unterschwellig häufig das Bedürfnis, mit dem anderen in einen regelrechten Wettstreit darüber einzutreten, der oder die Verkannteste zu sein. Man vergleicht, wem es noch schlechter geht, wodurch die üble Täterschaft des anderen ins Maßlose wächst.

Als Pubertierender kann man sich in dieser Situation immerhin in den Kreis der gleichaltrigen Freunde und Freundinnen zurückziehen. Sie trösten und können in der aufgeladenen Situation Verständnis vermitteln, schließlich geht es ihnen genauso. Schwieriger ist es dagegen häufig für Eltern in den Wechseljahren. Hier schwingt nicht selten im verständnisvollen Trost von Freunden und Bekannten ein vorwurfsvoller Unterton mit: „Hättest du deine Kinder früher gekriegt, dann würden sie dich jetzt nicht so stressen!" Gerade weil die Pubertierenden bei den Gleichaltrigen ähnliche Probleme mit deren „Alten" erleben (und alt sind für Jugendliche auch schon jüngere Eltern), erhalten sie mehr Unterstützung in der Bewältigung der Krisensituation als Eltern in den Wechseljahren. Diese haben Kontakte und Freundschaften häufig über die Kinder geknüpft, und da andere Eltern zumeist jünger sind, können sie die Probleme älterer Eltern mit ihren Kindern schwerer nachvollziehen. Dies vertieft Gefühle von Einsamkeit und Hilflosigkeit.

Pubertät und Wechseljahre – gleiche Themen der Veränderung, des Wandels und der partiellen Einsamkeit und doch keine Übereinstimmung! Ähnliche Erfahrungen mit sich selbst und doch keine verbindende Nähe. Parallel verlaufende Krisen und doch kein Gefühl für Gemeinsamkeit in der Krisensituation.

Der Verlust von alten Sicherheiten auf der einen Seite bedeutet jedoch immer auch die Chance zur Entwicklung auf der anderen Seite. Pubertierende können den älteren Menschen in der Krisensituation der Wechseljahre gerade aufgrund ihrer Lebendigkeit und Unbekümmertheit wichtige Entwicklungsimpulse geben. Eltern in den Wechseljahren verfügen aufgrund ihrer größeren Lebenserfahrung häufig über mehr Überblick, größere Klarheit und Gelassenheit. Um das Aufeinanderprallen zweier Krisen, die der Pubertät und jene der Wechseljahre, als positive Entwicklungschance zu nutzen, ist es jedoch notwendig, dass die Betroffenen ihre Krisensituation in der jeweils subjektiven Akzentuierung erkennen und sie ernst nehmen. Dann werden sich auch immer Lösungen finden lassen.

1. Krisenherde erkennen

Pubertierende sind keine Kinder mehr – Erwachsene werden spürbar älter

Eigentlich wissen wir, dass ein Leben lang alles dem Wechsel unterworfen ist, und trotzdem erleben wir Veränderungen immer wieder mit sehr gemischten Gefühlen. Die Entwicklung, die ein Kleinkind im Verlauf der ersten Jahre durchmacht, wird in der Regel mit Freude und Begeisterung registriert. Jeder einzelne Schritt wie das erste Lächeln, die unermüdlichen Krabbelversuche, die ersten unsicheren Gehversuche, die originellen Wortschöpfungen, die Sprache als einen kreativen Prozess sichtbar machen, begeistert, weckt Anerkennung und Stolz. Aber die Pubertät? Diesmal sind die Veränderungen, die Schritte nach vorn in der körperlichen und seelischen Entwicklung, durchweg von Disharmonie geprägt. Der kindliche Charme ist verschwunden, es sieht so aus, als würde man sein Kind zum ersten Mal überhaupt nicht mehr verstehen.

So klagt Carolines Mutter, 48 Jahre, über ihre 12-jährige Tochter: „Es ist doch noch gar nicht so lange her, da kam sie noch zum Kuscheln. Es war so schön, die liebevolle Übereinstimmung bis ins Körperliche zu spüren. Wenn sie so ihre Gefühle gezeigt hat, dann ging es uns einfach gut – und nun ist alles plötzlich so anders. Es kommt mir vor, als hätte sie plötzlich Stacheln, ich kann sie gar nicht mehr in den Arm nehmen. Sie kritisiert mich, findet, dass ich nicht mehr so kurze Röcke tragen könne, sie müsse sich vor ihren Freundinnen genieren, ich solle nicht mehr so laut lachen, das sei für eine ältere Frau wie mich unpassend. Ich kann ihr nichts mehr recht machen. Es ist so ein Gegensatz zu früher. Sie will einfach nicht mehr mein kleines Mädchen sein ..."

Vorbei ist die liebevolle Übereinstimmung mit dem zugewandten und liebebedürftigen Kind, vorbei der Charme der Unbefangenheit und des direkten Mitteilens und Auslebens von Gefühlen. All das ist zwar nicht wirklich verschwunden, tritt aber in den Hintergrund, denn Pubertierende verkünden immer wieder lauthals, dass sie keine Kinder mehr seien, dass sie sich selbst bestimmen, eigene Wege gehen wollen. Sie demonstrieren den Willen zur Eigenständigkeit, äußern ihre eigenen Vorstellungen über das Leben und den ihnen zustehenden Platz. Sie vermitteln Eltern und Erwachsenen im Allgemeinen, dass diese nicht mehr alles besser wissen, besonders, was die Pubertierenden selbst betrifft, und sie betonen ihre neu entdeckte Autonomie, auch wenn diese streckenweise rücksichtslos, unverschämt oder taktlos zum Ausdruck kommt.

Aber auch Eltern in den Wechseljahren nehmen sich plötzlich neu wahr. Durch die wachsenden Auseinandersetzungen mit den Kindern und deren sichtbares Heranreifen erleben auch sie sich verändert, sehen mit kritisch geschärftem Blick die Zeichen des Alterns. Wie über Nacht scheinen Wollen und Können, Anspruch und Wirklichkeit nicht mehr deckungsgleich zu sein. Die Belastbarkeit nimmt ab, die Toleranzschwelle wird schneller überschritten, gereizte Stimmungen und Stimmungsschwankungen nehmen zu. Dazu Kathrin, 13 Jahre, über ihre Mutter, 52 Jahre: „Täglich steht sie vor dem Spiegel, zählt ihre Falten, verkündet, dass sie sich liften lassen will. Sie findet das Älterwerden schrecklich und jammert dauernd, dass sie niemand mehr anschauen würde. Dabei stimmt das gar nicht, aber ich kann sie doch nicht dauernd trösten. Und dann macht sie plötzlich auf jung. Das finde ich echt peinlich. Aber wenn ich es ihr sage, ist sie beleidigt, heult oder beschimpft mich als Rotzgöre."

Verlust der inneren und äußeren Harmonie –
Wo sind die Kräfte geblieben?

Wohin mit Armen und Beinen?

Das überlange Bein Simons, 14 Jahre, trifft unter dem Tisch auf das empfindliche Schienbein des Vaters. Entschuldigungen sind nicht angesagt, vielmehr ein demonstratives Räkeln und der rücksichtslose Griff quer über den Tisch nach der Butter. Ein „Ups!" oder „Hoppla!" sind die einzigen Reaktionen, wenn ein anderes Familienmitglied durch diese Übergriffe belästigt wird. Bei guter Laune kommentiert Simon ein wenig von oben herab: Man müsse das alles nicht so eng sehen. Bei gereizter Stimmung hingegen werden die Eltern zu verständnislosen, kleinlichen „Alten", hoffnungslos verkalkt und von gestern.

„Wo soll das noch hinwachsen?!", klagt Kathrins Mutter angesichts der schon wieder zu kleinen Schuhe der Tochter. „Jetzt schon Größe 42 – wahre Elbkähne!" Doch die Tochter ist kein bisschen verzweifelt. Mit heimlich spürbarem Triumph kontert sie: „Einen großen Menschen entstellt nichts, nur kein Neid!" Und doch – irgendwo wird man das Gefühl der Unstimmigkeit nicht los, und der unvermittelte, wütende Ausbruch der Tochter bestätigt dieses Empfinden: „Nur so alte Omaschuhe gibt es noch in meiner Größe, und die Eva hat so tolle Plateauschuhe – ich krieg die Krise!"

Tatsächlich ist bei den Pubertierenden nichts mehr ausgeglichen. Das disharmonische Wachstum der Extremitäten ist genauso unverbunden mit der ganzen Person wie die plötzlichen Ausbrüche wütender, verzweifelter, entwertender oder fordernder Natur. Die äußere Einheit zerbricht ebenso wie die innere. Der Wandlungsprozess, der sich in den körperlichen Veränderungen abzeichnet und zu einer neuen, individuellen Form drängt, entspricht dem inneren Bruch mit alten Fühl- und Verhaltensweisen, der Aufbruchstimmung, die signalisiert: Nichts ist mehr so, wie es gewohnt und vertraut war, aber gleichzeitig darf auch nichts mehr so sein wie früher. Alles soll vor allem neu sein und mit der Veränderung auf jeden Fall besser werden.

Dieses zwiespältige Gefühl der Selbstentfremdung, („Als ob ich Besucher in meinem eigenen Haus wäre", so Patrick, 15 $^1/_2$ Jahre), vertieft die Stimmungslabilität, die, zwischen Extremen pendelnd, eine Quelle von Missverständnissen und für die Pubertierenden selbst leidvolles Rätsel und lustvolles Versteck gleichermaßen ist. Irritation und Verunsicherung werden mit Hilfe der Vitalität, über die ein junger Mensch verfügt, häufig in Form von Aggression aus dem Bewusstsein gedrängt. In der negativen Umdeutung der Reaktionsweisen wird der Erwachsene zum Fremden und Verständnislosen. Die eigene Problematik wird auf ihn projiziert und verfolgt, denn diese Sündenbockstrategien wirken immer entlastend.

Nichts ist mehr mühelos!
Die älter werdende Mutter erfährt in den Wechseljahren die fehlende Übereinstimmung von Wunsch und Wirklichkeit. Ihre Kräfte stehen ihr nicht mehr fraglos zur Verfügung: Man ist in jeder Hinsicht schneller müde, Belastungen körperlicher und seelischer Natur werden weniger selbstverständlich abgefedert.

„Mir wird plötzlich einfach alles zu viel", klagt Utas Mutter, 50 Jahre. „Das Engagement im Beruf, wenn es täglich auch nur vier Stunden sind, dann nach Hause hetzen, Mittagessen kochen, vielleicht noch ein paar Dinge vorher einkaufen, dann die mürrischen, gereizten Kinder beim Essen, die meist meckern, das tägliche zeitraubende Einerlei im Haushalt, die ewigen Telefonate der Kinder, die Unruhe, Streit, wenn ich Mithilfe verlange, Auseinandersetzungen wegen jeder Kleinigkeit, mir ist alles zuviel ..."

Aber auch die Väter erleben ihre Midlife-Crisis, wie etwa Simons Vater, 58 Jahre: „Der gnadenlose Wettbewerb im Geschäft – mit den Jüngeren mithalten zu müssen, keine

Schwäche zeigen zu dürfen und dann noch die Forderung, wenigstens jetzt den Pubertierenden gegenüber ein präsenter Vater zu sein ... Es ist, als würden Zentnergewichte auf meinen Schultern lasten, die ich auf einmal nicht mehr stemmen kann." Der 14-jährige Simon dagegen meint über seinen Vater: „Neulich habe ich meinen Vater an den Polstern seines Jacketts gepackt und gesagt: ‚Na, Alter, täglich ein bisschen aufschütteln?!' Das hat er aber nicht so gut gefunden, aber er ist wirklich manchmal abartig jämmerlich."

Der Alltag braucht mehr Kraft, viele bisher selbstverständliche Dinge gehen nicht mehr im gewohnten Tempo von der Hand, und auch das Gedächtnis lässt nach. Worte, Begriffe, Namen und Zahlen sind plötzlich weg – und dann noch die Bemerkung der kritischen Jugendlichen, dass der Kalk deutlich riesele: „Ein Sieb, dein Gedächtnis, und das wäre noch ein Kompliment!" (Tanja, 15 Jahre). Wo ist die Unbekümmertheit, spät ins Bett zu gehen und doch den Alltag am nächsten Morgen tatkräftig in die Hände zu nehmen? Wo die Leichtigkeit, über Herausforderungen zu lächeln und das Tagespensum mühelos zu bewältigen? Wo die Sorglosigkeit, selbstverständlich auf eine gute Entwicklung zu vertrauen, statt die eigene Zukunft des Alterns ebenso wie die der aufsässigen Pubertierenden in düsteren Farben zu malen? Wo ist die Lockerheit, über Kränkungen hinwegzugehen, verletzende Äußerungen der Kinder als nicht so ernst gemeint beiseite zu schieben? Nichts scheint mehr leicht und selbstverständlich zu gehen. Der Tatkraft jüngerer Frauen, ihrer Unternehmungslust, ihrem Engagement in Beruf, Politik und sozialen Fragen begegnet man mit müdem Achselzucken und gleichzeitig einem schlechten Gewissen. Gewiss, man sollte aktiver, dynamischer sein! War man nicht auch irgendwann einmal so gewesen? Früher – es scheint ewig her zu sein.

Bin ich schön – Bin ich noch schön?

Die Katastrophe der Pickel

Das nahezu wichtigste Thema von Mädchen und Jungen in der Pubertät ist die Frage: Bin ich attraktiv, komme ich an? Ankommen bezieht sich dabei nicht unbedingt nur auf das andere Geschlecht, sondern gerade auch auf die kritischen Gleichgeschlechtlichen: Werde ich gut gefunden, bzw. habe ich das richtige Aussehen?

Und ausgerechnet jetzt sprießen die Pickel. Stunden müssen vor dem Spiegel verbracht werden, vorzugsweise morgens vor Schulbeginn, wenn alle anderen Familienmitglieder ebenfalls ins Bad wollen, was schon frühmorgens die ersten Zusammenstöße provoziert. Für Mädchen werden Puder und Schminke, Wimperntusche und Nagellack zum wichtigsten Mittel im Schönheitswettbewerb mit anderen. Dass dabei die mütterlichen Utensilien rücksichtslos ge- oder gar missbraucht werden, ist selbstverständlich, genauso aber auch das Missfallen der Mütter an dieser zeitraubenden „Kriegsbemalung". Muss das wirklich schon in so jungen Jahren sein und sogar in der Schule? Was sagen Lehrer und andere Eltern? Wird es vielleicht gar so verstanden, dass man zu wenig auf die Tochter achtet, ihr zu viele Freiheiten zu früh zugesteht? Ist man damit eine schlechte Mutter?

Bei den Jungen wird Haargel zum wichtigen Utensil. Hiermit wird wachsende Männlichkeit demonstriert. Dabei gilt: Je mehr, desto besser, so dass die Haare schließlich wie aggressive Stacheln in die Luft stehen, in einer, wie eine Mutter es einmal formulierte, „Igelposition". Jedem näher kommenden Konkurrenten oder kritischen Erwachsenen wird damit Kampfstimmung signalisiert, auch wenn es sich dabei meist unterschwellig um eine Geste des Selbstschutzes handelt.

Wenn weder Schminke noch Gel ausreichende Sicherheit versprechen und zu wenig von peinlichen Unvollkommenheiten im Gesicht ablenken, dann muss irgendjemand herhalten, der schuld ist an dieser kränkenden Situation. Wie gut, dass es Mütter gibt: „Wieso hast du mir dieses Aussehen, diese Haut, diese Riesennase vererbt? Wie soll ich den schwierigen Schulalltag bestehen, wenn ich ‚so' aussehe?" Hierbei wird weniger an die schulischen Forderungen, den Leistungsnachweis, gedacht, als vielmehr an die Konkurrenz, die durch Gleichaltrige entsteht, die ungerechterweise von der Natur und ihrer Mutter besser ausgestattet wurden.

Schön sein, attraktiv wirken, ankommen und damit in der Klasse integriert sein, das ist wichtigstes Ziel der Pubertierenden.

Falten und graues Haar

Ist das so anders bei den Eltern in den Wechseljahren? Wer in dieser Phase ist nicht betroffen von den sich vertiefenden Falten, die weniger Zeichen von Charakter sind, sondern zunehmend als sichtbare Spuren des Alterns für sich sprechen. Graue Haare werden immer schlechter von einer Tönung kaschiert, die Väter kämmen ihr dünner werdendes Haar immer sorgsamer über die lichten Stellen. All das signalisiert den Eltern in den Wechseljahren unübersehbar, dass sie, wenn nicht zum „alten Eisen", so doch zu den Älteren gehören, was die Pubertierenden nüchtern in wenig schmeichelhafte Worte fassen. Das sich abzeichnende Bäuchlein beim Vater wird gnadenlos „Wampe" genannt, die sich lichtende Haarpracht wird als „Platte", die Falten, in der Kosmetik noch freundlich als Fältchen bezeichnet, werden als „Dauerbügelfalten" apostrophiert – so die Beschreibung eines 14-Jährigen bezüglich seiner 50-jährigen Eltern.

Vielleicht tröstet man sich als ältere Mutter vorübergehend damit, dass man doch im Vergleich mit anderen der gleichen Altersstufe noch sehr frisch oder fit erscheint. Auch als älterer Vater kann man sich damit aufbauen, markante Züge als Ausdruck von Charakter zu interpretieren, aber das Wissen um die Wahrheit lässt sich weder mit Beteuerungen der Art „Man ist so alt, wie man sich fühlt!" noch mit kosmetischen oder chirurgischen Korrekturen verdrängen.

Es ist nicht leicht, so gnadenlos mit der Wahrheit konfrontiert zu werden, wie es die 14-jährige Sabrina ihrer 51-jährigen Mutter zumutet: „Ich habe nur vorübergehend Pickel, aber bei dir ist alles zu spät: Lass es doch einfach mit diesen teuren Cremes, das Geld könnte ich besser brauchen für ein Bauchpiercing. Das ist voll cool, das haben alle, aber das verstehst du ja sowieso nicht – du und dein Altertum!" Solche Äußerungen nicht als Kampfansage zu verstehen, nicht mit einem Gegenangriff zu reagieren, erfordert viel Gelassenheit und Selbstbeherrschung. Als sie diesen Vorfall erzählte, meinte Sabrinas Mutter: „Am liebsten hätte ich Sabrinas etwas erzählt von ihrer Oberflächlichkeit und der ihrer so genannten Freundinnen, die ihr Ziel in der Selbstverstümmelung sehen und sich damit noch besonders schön vorkommen, aber ich habe dann tief durchgeatmet und bin bewusst auf ein neutrales Thema umgestiegen. Hinterher war ich richtig stolz auf mich, dass wir nicht schon wieder in eine laute Auseinandersetzung geraten sind, in der sich beide verkannt gefühlt hätten."

Es muss etwas laufen – Es läuft nichts mehr

Gier und Maßlosigkeit

Bei Pubertierenden muss „etwas laufen". Bewegung ist Leben, und das muss farbig, dynamisch, dramatisch sein. Pubertierende suchen über ihre Sinne extreme Grenzerfahrungen, die ihnen ein Gefühl von Identität vermitteln.

Das fängt beim Essen an: Als erstes wird ausgiebig mit Salz und Pfeffer gewürzt, es kann nicht scharf, nicht salzig genug sein. Vorsichtige Hinweise der Eltern, es lohne sich, zuerst zu probieren, werden mit großer Geste als unnötig abgetan: Diese Vorgestrigen haben doch keine Ahnung!

Musik wird zum weiteren Reizthema. Schrille Obertöne, wummernde Bässe, hämmernde Rhythmen – maß- und grenzenloser Hörgenuss! Elterliche Rufe verhallen ungehört. Kommen sie ins Zimmer, um Zimmerlautstärke einzuklagen, wenn sie die „Kopfschussmusik" schon nicht in Bausch und Bogen verurteilen, beweisen sie bereits wieder ihre „Abartigkeit". Der umgekehrte Versuch, sich mit der Musik der Jugendlichen anzufreunden, stößt jedoch auf ebenso wenig Gegenliebe. „Ich glaube, meine Eltern haben einen Schuss, als ob die echt eine Ahnung hätten. Die wollen sich doch nur einschleimen, aber das läuft bei mir nicht!" (Anna, 14 $^1/_2$ Jahre).

Auch optische Eindrücke müssen „verschärft" sein, damit sie zum Genuss werden. Man zappt sich durch die Fernsehkanäle. Die bunten, vielfältigen, ständig wechselnden Bilder garantieren, „in" zu sein, teilzunehmen an der großen, weiten Welt. In der Mode dominieren die schrillen Töne, Glitzer auf T-Shirts, auf den Augenlidern, in den Haaren. Man pubertiert, trägt die Abzeichen der Kultgemeinde. Und diese Gemeinde will anders sein als die Gemeinschaft der Alten, zu denen natürlich die Eltern in den Wechseljahren zählen. Wehe, sie biedern sich durch Gleichartigkeit an, es wird als verlogene Gleichmacherei empfunden, weil den Jugendlichen damit eine wichtige Möglichkeit der Abgrenzung genommen wird! Dazu Patricia, 13 Jahre: „Ich dreh durch: Meine Mutter hat sich doch echt das gleiche Top gekauft und noch in Pink – in ihrem Alter! Alles macht sie mir nach. Neulich hat sie sich meine Jeansjacke mit den Nieten ausgeliehen. Sie findet das toll, dass wir die gleiche Größe haben. Ich nicht. Und jetzt will sie auch noch abnehmen!"

Typisch für Pubertierende ist ihr großes Bewegungsbedürfnis. Keine Minute lang ist Ruhe. Es wird auf den Tisch geklopft und getrommelt, mit dem Stuhl gewippt, geschnalzt und mit den Füßen gezappelt. Eltern und Lehrer beschweren sich über diese ständige Unruhe, ohne zu verstehen, dass es im Wesentlichen nur der Überschwang der Energie ist, der sich in den vielen unwillkürlichen Bewegungsabläufen widerspiegelt.

Intensive Gerüche, wenn auch nicht unbedingt vom Feinsten, sind darüber hinaus gefragt, Tankstellen und Kfz-Werkstätten werden zu bevorzugten Ankerplätzen vor allem der männlichen Pubertierenden, Parfum wird in größter Freizügigkeit benutzt. Andererseits können gerade Jugendliche ungeheuer empfindlich sein, wenn es sich um menschliche Ausdünstungen handelt, die nicht von ihnen stammen: „Du stinkst mir" ist im wahrsten Sinne des Wortes ein häufiger Vorwurf.

Maßlosigkeit ist das Maß des Pubertierenden: Genug ist nie genug, das Unmaß ist der richtige Maßstab dafür, allmählich das Angemessene zu finden. Die Augen sind größer als der Magen, der Teller ist übervoll, es wird geschmatzt und geschlürft, so dass Eltern in den Wechseljahren häufig nochmals zu intensiven, wenn auch völlig nutzlosen Erziehungsversuchen ansetzen. Nicht selten liegt der Grund für solche Maßnahmen neben dem realen Gefühl der Eltern, durch die mangelnden Tischmanieren ihrer Kinder belästigt zu werden, in geheimen, uneingestandenen Neidgefühlen, weil die eigene Lebenslust und Vitalität spürbar nachlassen. Zudem bleiben die Jugendlichen trotz ihrer Mammutportionen dünn, während man selbst bereits das Gefühl hat, vom bloßen Anschauen des Essens zuzunehmen. Überhaupt, diese unerschöpfliche Energie der Pubertierenden!

Abends um zehn scheinen ihre Lebensgeister erst richtig zu erwachen. Jetzt wird es Zeit für Hausaufgaben oder einen Treff draußen, Partys sind angesagt, und das Schlafdefizit wird mühelos weggesteckt oder am Nachmittag ausgeglichen. Während sich die Eltern gähnend nach ihrem Bett sehnen, suchen die Jugendlichen plötzlich die Diskussion über Grundsatzfragen des Lebens. Sie interessieren sich für die elterlichen Lebensentwürfe, stellen diese oft rücksichtslos in Frage, forschen nach Sinn und Ziel des Lebens an sich, erörtern Religionen und Atheismus, fordern lebendige Diskussionen und setzen erschöpfte Eltern in ihrer Argumentation mühelos schachmatt. Und das soll man als Mutter oder Vater im fortgeschrittenen Alter lächelnd wegstecken?!

Begrenztheit und Grenze

Es ist nicht allein die späte Stunde, die Frage, wie man den Anforderungen des nächsten Tages angesichts des Schlafmangels gerecht werden kann. Nicht selten ist es auch eine eigene innere Unruhe, die die Jugendlichen mit ihren Fragen verstärken: Was das Leben tatsächlich sinnvoll macht – wurde es schon entdeckt, verwirklicht? Unbehagen breitet sich aus, das seine Entsprechung in Hitzewallungen und Kältegefühlen findet. Man fühlt sich schlicht nicht wohl in seiner Haut. Der Körper verweist in Grenzen, die der eigene Anspruch nicht akzeptieren will. Und auch die kollektive Meinung scheint bestimmt von der Überzeugung, man müsse so intensiv, so dynamisch und so lang wie möglich aktiv am Leben teilnehmen. Ein „Ich kann nicht mehr!" birgt die Gefahr in sich, aus dieser Gemeinschaft herauszufallen. Ähnlich wie die Pubertierenden möchte man doch dazugehören und nicht in der Isolation über den eigenen Wert oder Unwert nachgrübeln.

Utas Mutter, 50 Jahre, machte sich im Gespräch darüber Gedanken, ob sie sich mit Hilfe von Hormonen „aufpäppeln" lassen solle oder die körperlichen Beeinträchtigungen klaglos hinnehmen müsse. Sie berichtete nach einem eingehenden Gespräch mit ihrem Frauenarzt über Vorzüge und Gefahren einer Hormongabe. Jener habe gemeint, sich, symbolisch gesprochen, mit einer Minidosis Hormone aus dem Keller ins Erdgeschoss zu begeben. Es müsse ja nicht gleich der dritte Stock sein, aber man sei auch nicht dazu verurteilt, als Kellerassel dahinzuvegetieren. „Das hat mir wieder den Mut zur eigenen Entscheidungsfreiheit gegeben und das Gefühl, einem fatalen Schicksal ausgeliefert zu sein, ausgelöscht." Utas Vater, 54 Jahre, ergänzt: „Für mich war es in den letzten Jahren immer schwieriger, mit den jungen Kollegen Schritt zu halten. Vor allem, wenn ich beobachtet habe, wie unbefangen die mit allem Neuen umgehen, wie schnell sie ihre Ideen umsetzen. In den letzten Tagen haben wir uns zusammengesetzt und offen geredet. Ich hatte immer die Sorge, sie sähen mich als Opa und fühlten sich mir haushoch überlegen. Im Gespräch haben sie mir echte Wertschätzung vermittelt und meine Erfahrung mit ehrlichem Respekt anerkannt. Und ich habe gelernt, meine Schwächen zuzugeben und ihr Arbeitstempo anzuerkennen. Wir haben jetzt ein viel lockereres Klima in unserer Abteilung. Ich weiß eigentlich auch nicht, warum wir eine so große Angst davor haben, nicht mehr alles am besten zu können."

Protest als Lebensmuster – Resignation

Aufbegehren um jeden Preis

Prinzipielles Dagegen-Sein scheint ein existentielles Anliegen des Pubertierenden zu sein. „Du hast ja keine Ahnung!" oder „Du blickst es auf keinem Auge!" ist die Antwort auf ermahnende Hinweise der Eltern. Wünsche, die jene ausdrücken, werden grundsätzlich überhört. Ein höfliches „Darf ich dich bitten" wird gekontert mit einem „Du *darfst* gern!", *getan* wird dagegen selten. Hinweise auf höflicheres Verhalten werden in den Wind geschlagen, Erziehungsversuche für lächerlich befunden. Man will sich abgrenzen, unterscheiden, sich auf keinen Fall gemein machen mit diesen Alten in des Wortes doppelter Bedeutung. Auflehnung wird zum Ausdruck der Eigenständigkeit und muss um jeden Preis durchgehalten werden. Das drückt sich auch darin aus, dass die Pubertierenden als sichtbares Zeichen der Überlegenheit in jedem Fall das letzte Wort haben müssen. Das fällt ihnen in der Regel nicht schwer: In geschickter Rhetorik und großer Geschwindigkeit treiben sie ihre Eltern ins Abseits und genießen diesen Triumph.

So berichtet Corinnas Mutter, 51 Jahre, von ihrer 13-jährigen Tochter: „Ich wusste nicht mehr, wie ich sie noch zur Ordnung bringen sollte. In ihrem Zimmer sieht es aus, als ob nicht nur eine, sondern gleich mehrere Bomben eingeschlagen hätten: ihre Kleider drunter und drüber, getragene Wäsche neben frischer, schmutziges Geschirr neben angegessenen Äpfeln, Stöße von Schulbüchern und CDs. Dazwischen Zettel, in unleserlicher Schrift beschmiert, zum Teil zerknüllt, so dass man nicht wusste, was weggeworfen werden konnte. Neulich habe ich mir ein Herz gefasst und halbwegs aufgeräumt. Es war für mich eine Sisyphosarbeit und anschließend eine Katastrophe. Corinna tobte, heulte, schrie, sie würde nichts mehr finden, es sei ein schamloser Übergriff, ein Missbrauch ihres Vertrauens, gewissermaßen ein Hausfriedensbruch. Jetzt könne sie stundenlang nach dem Zettel suchen, von dem sie genau gewusst hätte, dass er im dritten Bücherstoß auf dem Boden unter der obersten CD, die als Briefbeschwerer fungiert habe, gelegen hätte. Und das sei eine so wichtige Adresse gewesen. Ich sei die schlimmste Mutter aller Zeiten. Sie müsse ausziehen, am besten auswandern. Nirgends fände man noch seine Ruhe und könne die einem selbst entsprechende Ordnung leben. Immer wieder habe ich versucht, etwas zu sagen, zu erklären, ja mich sogar zu entschuldigen, obwohl mich das Aufräumen einen halben Tag gekostet hat. Ein kleines bisschen Dank hatte ich doch erwartet. Nichts von alledem. Schließlich habe ich ‚Ruhe' geschrien, und sie hat ‚raus' gebrüllt. Ich war geschlagen.

Tage später haben wir uns etwas ruhiger unterhalten. Sie hat mir dabei unmissverständlich und, wenn ich ehrlich bin, auch sehr logisch ihren Standpunkt noch einmal klar gemacht. Mir fiel kein Gegenargument ein auf die Frage, was ich dazu sagen würde, wenn sie in meinem Zimmer nach ihren Maßstäben ‚Ordnung' schaffen würde. Ich habe mir geschworen, ihr Zimmer nicht mehr zu betreten und jeder Erörterung über Ordnung aus dem Weg zu gehen."

Aufgabe und Selbstaufgabe

Durch den vitalen Protest, durch Auflehnung und Opposition fühlen sich insbesondere ältere Eltern mit ihrem Wunsch nach Harmonie, häuslichem Frieden und geregeltem Tagesablauf häufig in die Ecke gedrängt, und nicht nur das: Ihre Lebensführung erscheint in den Augen der Jugendlichen hoffnungslos spießig und steril, als ob sie schon bei Lebzeiten vom Leben Abschied genommen hätten.

Was liegt näher, als irgendwann die Achseln zu zucken, wenn einem die Kinder derart die kalte Schulter zeigen, sich resigniert abzuwenden, um jedoch gleichzeitig in das Loch der eigenen Niedergeschlagenheit zu fallen? Als Mutter mehr noch als in der Rolle des Vaters quält man sich mit der Frage, was man falsch gemacht, welch trauriges Resultat man trotz großen erzieherischen Aufwandes erreicht habe! Parallel dazu stellt sich für Eltern in den Wechseljahren vermehrt die Frage nach dem Sinn der eigenen verbleibenden Lebensspanne. Es breitet sich die Unsicherheit aus, ob das alles gewesen, ob dies der Anfang vom Ende sei. Was bleibt noch für die ältere Mutter, den älteren Vater, wobei letzterer angesichts einer depressiven und resignierten familiären Situation mit der Berufsorientierung häufig auch ein gutes Fluchtventil hat. Soll man sich vermehrt dem Beruf zuwenden, ihn als legitime Flucht nutzen, soll man sich der Depression stellen oder diese überspielen? Für ältere Eltern kommt häufig die kritische Überlegung hinzu, ob der damalige Entschluss, sich trotz fortgeschrittenen Alters für ein Kind zu entscheiden, angesichts der aktuellen, kräftezehrenden Auseinandersetzungen richtig war. Gleichzeitig schleicht sich Bitterkeit ein: Ist das der Lohn der Einschränkung, des Verzichts auf weitere Berufstätigkeit, vielleicht auch auf Karriere oder mehr Freizeit? In schlaflosen Nächten werden Fragen aufgeworfen, die weder die Jugendlichen noch der Partner beantworten können. Und die nächtliche Einsamkeit mit ihren ängstigenden Vieldeutigkeiten ist nicht dazu geeignet, die Bewältigung der Gegenwart mit Zuversicht und Mut in Angriff zu nehmen, auch wenn das die beste Antwort auf Zweifel und Selbstvorwürfe wäre.

Explodieren, implodieren – Sehnsucht nach Ruhe und Schlafbedürfnis

Wohin mit dem inneren Pulverfass?

Die Gefühlswelt Pubertierender ist so extrem wie ihre äußeren Verhaltensweisen – himmelhoch jauchzend, zu Tode betrübt, aggressiv ausfallend, depressiv selbstanklagend, und das alles in raschem Wechsel. Eben noch jammert die 15-jährige Tanja der Mutter vor, von niemandem verstanden, von den Lehrern verkannt, von der Mutter ungeliebt zu sein und insgesamt vollkommen ungerecht behandelt zu werden. Wenig später im Telefongespräch mit der besten Freundin hört man eine aufgekratzt kichernde junge Dame, die sich über einen namentlich nicht genannten „süßen Jungen" auslässt, worauf sie sich zum Stadtgang und Treff auf der Schlossplatztreppe verabredet, zum Sehen und Gesehen-Werden. Nachfragen der besorgten Mutter, die diesen emotionalen Wechsel nicht nachvollziehen kann und überflüssigerweise zusätzlich an die Hausaufgaben erinnert, werden giftig gekontert: Sie sei eine „lahme alte Ziege" und habe sowieso „keinen Durchblick" (was in diesem Fall tatsächlich der Realität entspricht).

Anders der 15-jährige Andreas, der mittags stumm aus der Schule kommt und auf die Frage, wie es denn gewesen sei, mit einem „Lass mich in Ruhe!" antwortet, das Essen lustlos in sich hineinstopft, in seinem Zimmer verschwindet und ausgestreckt auf seinem Bett mit Kopfhörern Musik hört. Kann es sein, dass man sich als Mutter zurücksehnt zu der überzimmerlautstarken Musik der Vergangenheit?

Wagt man einen Vorstoß ins Zimmer des Sohnes, so signalisiert ein unwilliges Knurren Verdruss – mehr nicht: der stille Jugendliche, der nichts mehr an sich heranlässt, der mit düsterer Miene vor sich hin starrt. Das Unbehagen ist zum Greifen nahe und wird doch nicht in Worte gefasst. Hilfloses Verstummen auch seitens der Eltern ist die nahe liegende Folge, und es wird immer schwieriger, Nähe herzustellen, einander zu verstehen. „Mein Sohn ist mir so fremd geworden", so Simons Vater, 58 Jahre. „Ob das zwischen mir und meinem Vater auch so war, ich weiß es nicht mehr. Aber ich bekomme Angst und habe das Gefühl, Simon entgleitet mir ins Nichts."

Lass mich bloß in Frieden!

Erschöpft, müde, ausgepowert – so fühlen sich die meisten Eltern in den Wechseljahren nach einem langen Tag. Nur jetzt Ruhe und Frieden, bloß keine Diskussionen, keine Debatten. Vielleicht endlich mal etwas früher ins Bett gehen, vielleicht noch ein paar Seiten lesen und es genießen, für gar niemanden und nichts zuständig zu sein.

„Schlafen könnt ihr immer noch lang genug, wenn ihr die Radieschen von unten anschaut", so der 15 $^1/_2$-jährige Patrick zu seinen Eltern (Mitte 50). „Jetzt ist das Leben, nehmt euch doch gefälligst zusammen!" Solche und ähnliche Aussagen schüchtern viele ältere Eltern ein. Sie glauben, sie müssten Haltung annehmen, sie dürften ihre eigenen Bedürfnisse nach Entspannung nicht ernst nehmen, müssten sie überspielen. Dadurch verstärkt sich jedoch das Gefühl größerer Belastung, und der innere Zwiespalt zwischen eigenen Bedürfnissen und den von der Umwelt signalisierten Erwartungen vertieft sich. Man glaubt, den Maßstab der Jugendlichen zum eigenen machen zu müssen, schämt sich der eigenen Grenzen.

Von den eigenen Kindern gut gefunden zu werden, wünschen sich gerade jene Eltern, die aufgrund ihres fortgeschrittenen Alters besonders selbstkritisch mit sich umgehen. Bezeichnend für diesen Anspruch ist die Äußerung von Utas Vater, 54 Jahre: „Es hat lange gebraucht, aber allmählich kann ich meinen Kindern gegenüber ‚nein' sagen. Ich hatte immer ein schlechtes Gewissen, weil ich zu wenig für sie da war und glaubte dann, wenn ich da war, zum Ausgleich zweihundertprozentig zu ihrer Verfügung stehen zu müssen. Der klassische Sonntagsvater. Ich wollte einfach als toller Vater von ihnen gelobt und anerkannt sein. Vielleicht im Gegensatz zu meinem Vater, den meine Geschwister und ich überhaupt nicht gut und verantwortungsvoll erlebt haben. Ich habe wohl, um nicht zu sein wie mein Vater, nie das richtige Maß gefunden. Das hat mir meine Frau dann oft vorgeworfen. Aber wirklich anders hat sie es auch nicht gemacht."

Wo ist Sicherheit? –
Fluchtimpulse in die Vergangenheit

Angst zeigen ist uncool

Angst ist für Pubertierende das Gefühl, das auf keinen Fall ins Bewusstsein dringen darf. Es ist nicht nur „uncool", es ist einfach peinlich und beschämend, keine Souveränität zur Schau zu stellen. Überlegen zu sein (und das bedeutet cool sein), sich nicht von Gefühlen hin und her schleudern zu lassen, das ist die Forderung, die Pubertierende an sich selbst stellen. Ihre Hauptanstrengung gilt dem Bedürfnis, den schönen Schein zum Sein zu machen. Die Maske muss perfekt sitzen, sonst könnte man von den beunruhigenden Gedanken an eine schwierige Gegenwart und unwägbare Zukunft überrollt werden. Doch dieser Schein gibt weder echte Sicherheit noch Halt und Geborgenheit. Pubertierende wissen sehr wohl, dass das Gewünschte eigentlich in der Familie zu haben und zu holen wäre. Aber genau dies wiederum löst die größten Ängste aus, nämlich jene vor Abhängigkeit, welche die mühsam erworbene Autonomie zunichte machen könnte, die ja selbst noch auf tönernen Füßen steht. So drehen sich Jugendliche im Teufelskreis ihrer zwiespältigen Gefühle und müssen sie überspielen, um nicht zu spüren, was sie glauben, nicht ertragen zu können.

Dazu braucht man schrille Töne, sei es im äußeren Erscheinungsbild mit buntgefärbten Haaren und knappen Klamotten oder in Form von krassen Äußerungen, die in den Eltern immer von neuem das Bedürfnis wecken, erzieherisch einzugreifen, was letztlich sinnlos ist, oder die Flucht zu ergreifen. Man möchte weg von diesem „Ekelpaket", weg von diesen doppelten Botschaften, die den Eltern im gleichen Augenblick „Komm her!" und „Geh weg!" signalisieren. Dazu Sandra, 15 Jahre: „Ich brauche meine Eltern, auch wenn sie mir gnadenlos auf den Geist gehen oder vielleicht gerade deshalb. Es tut so gut, sie anzubäffen oder zu sehen, wie meine Mutter in die Luft geht, wenn ich auf ihre Reden nur bla, bla, bla sage. Aber ich mag sie doch auch und weiß schon, dass sie es schwer hat. Warum aber nimmt sie um Himmels Willen nicht alles lockerer?"

Flucht vor sich selbst

Das Bedürfnis vieler älterer Eltern, endlich frei zu sein von Sorge und Verantwortung gegenüber diesen schwierigen Jugendlichen, kann gleichzeitig auch eine unterschwellige Flucht vor sich selbst beinhalten, Flucht vor der Erkenntnis der eigenen Situation, der eigenen Schwierigkeiten, die vielleicht mit dem Bedürfnis zusammenhängen, mehr im Mittelpunkt zu stehen, mehr Bedeutung zu haben, als man tatsächlich in seiner Lebenssituation noch besitzt. Es ist immer eine Zumutung, sich selbst ungeschminkt anzusehen und die eigene Realität zu erkennen: die Realität eines alternden Menschen, der ganz im Geheimen vielleicht sehnsüchtig auf diese beklemmende und doch so beeindruckende Dynamik der Jugendlichen blickt, auf diese Vielfalt und Vielschichtigkeit der Gefühle, auf dieses pralle, unausgegorene Leben, das die Zukunft noch vor sich hat, während die Wechseljahre dem älteren Menschen signalisieren, dass seine Zukunft bereits ein Stück Vergangenheit geworden ist: „Ich kann es einfach nicht glauben, wie rasch die Zeit vergangen ist. Ich kann mich noch so gut erinnern an die Zeit meiner Jugend, es scheint mir wie gestern, und doch bin ich jetzt alt – ich weiß es, auch wenn ich noch ganz vital im Leben stehe. Mit 55 geht der Blick zu oft zurück – aber nach vorn mag ich nicht so gern schauen" (Sandras Mutter).

2. Verständigungsschwierigkeiten zwischen Pubertierenden und ihren Eltern

Polare Spannungsfelder

Das innere Erleben der Pubertierenden ist von Widersprüchen geprägt. Wie ein Pendel schlagen die Gefühle extrem zur einen und gleich darauf zur anderen Seite aus. Die sich dadurch aufbauenden Spannungen erzeugen eine ständige Gereiztheit und damit verbunden eine Unfähigkeit, eindeutig zu sein, sich eindeutig zu verhalten. Die Situation ist einem inneren Kampf vergleichbar, der ein großes Maß an Energie verschlingt, ohne zu einem befriedigenden Waffenstillstand, geschweige denn Frieden zu gelangen. Hinzu kommen die belastenden Auseinandersetzungen mit der Umwelt, den Eltern, Lehrern, Geschwistern, Freunden, der verzweifelte Versuch, ein eigenes Profil zu entwickeln, und die Verzweiflung, wenn an allen Fronten Niederlagen drohen.

Inselgefühl des Pubertierenden – Sehnsucht der Eltern nach der Insel

„Niemand versteht mich – ich verstehe niemanden!"
(Uta, 14 Jahre)
Als Beispiel für dieses Empfinden sei hier Uta, ein 14-jähriges Mädchen, vorgestellt, die einen ein Jahr älteren Bruder hat. Ihre Mutter ist 50 Jahre alt und halbtags berufstätig. Uta, ein hübsches großes Mädchen mit halblangen blonden Haaren, die sie gelegentlich zu einer dekorativen Hochfrisur aufsteckt, ist eine typische Pubertierende. Streckenweise kann sie außerordentlich attraktiv sein, schminkt sich sehr

geschickt und betont mit Wimperntusche ihre ausdrucksvollen graublauen Augen; manchmal wiederum zeigt sie sich wenig anziehend, die Haare hängen strähnig herab, die Haltung ist gebeugt, insgesamt strahlt das Mädchen Lust- und Freudlosigkeit aus, alles ist „beknackt", das Leben macht keinen Spaß, das eigene Sein ist ohne Perspektive. Missmutig werden die Haarspitzen gedreht, bis sich die Verzweiflung in ungeordneten Worten Bahn bricht:

„Niemand versteht mich, Sie am allerwenigsten. Aber Sie sind eben genau wie meine Mutter, die tut immer so, als ob sie sich für mich interessierte, sie meint auch, sie könne mich verstehen, aber im Grund hat sie doch überhaupt keine Ahnung von mir. Wer versteht mich denn überhaupt? Ich habe das Gefühl, ganz alleine auf der Welt zu sein, so, als ob sich niemand tatsächlich für mich interessierte. Und eigentlich, wenn ich ehrlich bin, verstehe ich mich selber auch nicht. Aber gerade weil ich mich selbst nicht verstehe, wäre es doch die Aufgabe meiner Mutter, dass sie mich versteht, schließlich hat sie mich in die Welt gesetzt, und wenn sie Probleme hat, mich zu verstehen, dann soll sie sich gefälligst ein bisschen mehr um mich bemühen. Auf der anderen Seite sehe ich, dass sie es auch schwer hat. Jeden Tag erklärt sie mir, dass sie sich für ihren Job eigentlich zu alt fühlt, dass niemand sie mehr anschaut und dass sie sich schon überlegt, ob sie wenigstens für eine Woche auf eine Schönheitsfarm verschwinden sollte. So ein Schwachsinn! Sie ist eben einfach alt und sollte das endlich mal akzeptieren, aber was macht sie? Sie meckert nur an mir rum! Was mein Bruder macht, das ist alles richtig, da gibt es keine Probleme, da gibt es auch keine Kritik, aber ich, ich bin eben die, die alles falsch macht, mich bäfft sie immer wieder an, an mir findet sie kein gutes Haar. Am besten wäre es ja, ich würde verschwinden, dann hätte sie ihre Ruhe, aber das sehe ich auf der anderen Seite auch wieder nicht ein. Warum gibt es niemanden, der wirklich begreift, wo ich stehe? Die Lehrer in der Schule kann man auch vergessen, die sehen nur sich, die sehen ihren Stoff, die sehen das, was sie interessiert, und haben im übrigen ihre Schätzchen. Wenn man Glück hat, gehört man dazu, und wenn man Pech hat wie ich, gehört man eben nicht dazu.

Mein Vater, den kann man sowieso in der Pfeife rauchen (lacht), der qualmt nämlich eine nach der anderen. Der liebt vor allem seinen Computer und setzt sich dann abends vor den Fernseher und schaut, bis er irgendwann davor einschläft. Viel Interesse für uns scheint er nicht zu haben, wenigstens sieht es so aus. Aber am meisten macht mir doch aus, dass meine Mutter sich nicht mehr so richtig um mich kümmert. Früher, ja, da war das anders, da haben wir viel miteinander gemacht. Wir waren einkaufen, aber da war ich eben auch ganz lieb, und wenn sie gesagt hat, wir machen das, dann hab ich gesagt: ‚Ja, ist gut'. Aber seit ich meine eigene Meinung habe und ‚nein' sage, seitdem ist mit ihr nichts mehr los, und wenn ich ehrlich bin, ist das für mich ganz schlimm."

„Ich kann nicht mehr!" (Utas Mutter, 50 Jahre)

Utas Mutter ist eine sehr anziehende, sportlich-elegante Frau, der man ansieht, dass sie gewohnt ist, sowohl im Beruf wie in der Familie die Pflichten zu bewältigen: „Sie schmeißt den Laden." Trotzdem war sie im Gespräch den Tränen nahe und vollkommen verzweifelt:

„Zwei Pubertierende gewissermaßen im Doppelpack, das halte ich allmählich nicht mehr aus. Ich fühle mich wie eine Einzelkämpferin. Mein Mann ist sowieso selten anwesend, sein Hauptinteresse gilt dem Beruf und abends dem Fernsehen. Über meine Klagen lächelt er nur und meint lakonisch: Hättest du sie (die Kinder) doch nur anders erzogen! Mit den Aggressionen des Jungen komme ich noch einigermaßen klar, mit dem kann ich mich auseinander setzen, wir schreien uns mal an, und dann können wir uns auch wieder nahe sein. Und manchmal sagt er in solchen Situationen so nebenbei: ‚Mami, du bist doch die Beste'. Das ist so versöhnlich. Mit Uta ist es inzwischen anders. Früher war sie ein ganz liebes Kind, sozusagen ein pflegeleichtes Mädchen, wir haben viel gemeinsam gemacht und auch manchen Spaß gehabt. Aber jetzt ist sie ein Bündel von ausgesprochenen und unausgesprochenen Vorwürfen. Sie gibt mir ständig das Gefühl, dass sie sich von mir nicht geliebt fühlt, ist mürrisch, launisch, unzufrieden, und wenn ich auf sie zugehen will, zieht sie sich zurück. Das Schwierigste ist für mich, dass ich einfach nicht mehr an sie herankomme. Wenn ich es je versuche, dann wehrt sie unfreundlich ab, ich würde sie ja doch nicht verstehen, und das tue ich tatsächlich nicht. Ich kann mir einfach nicht vorstellen, wie ihr zumute ist. Dabei war sie mir früher so nahe!

Als Jugendliche war ich früher selbst eher laut und aggressiv. ‚Dich hört man immer schon von Weitem', pflegte meine Mutter zu sagen. In diesen stummen und vorwurfsvollen Rückzug kann ich mich eigentlich nicht einfühlen. Ich kann mich nicht recht daran erinnern, ob ich auch einmal solche Phasen hatte. Jetzt geht's mir jedenfalls so, dass ich selbst am liebsten ausbrechen möchte aus dieser angespannten, schwierigen und unbefriedigenden Gesamtsituation. Ich habe das Gefühl, alle erwarten von mir Verständnis, ich soll überall ausgleichen: Ich soll meinen Mann in seiner Arbeitsüberlastung, seinem Rückzug verstehen, ich soll meinen Sohn in seinen aggressiven Ausbrüchen verstehen, ich soll auf meine Tochter zugehen und sie in ihrer Einsamkeit und ihrem Unverstandensein verstehen. Und im Beruf soll ich auch funktionieren wie gewohnt. Das ist mir einfach zu viel! Ich bin auch nur ein Mensch, ich kann nicht mehr. Älterwerden ist für mich eine mittlere Katastrophe. Manchmal habe ich das Gefühl, das Leben sei an mir vorbeigerauscht und ich hätte von seiner Fülle nichts mitbekommen! Am liebsten ginge ich auf und davon auf eine einsame Insel, wo ich mich monatelang überhaupt nicht mehr rühren müsste. Oder ich möchte mich ins Auto setzen, nur ich allein, und irgendwohin ins Blaue fahren und das Gefühl haben, dass niemand etwas von mir will, niemand etwas von mir verlangt, niemand mich kritisiert, niemand sich über mich lustig macht. Das wäre mein Traum, denn so kann ich nicht mehr weiterleben. Wenn wir im Geschäft über Kinder und Berufstätigkeit diskutieren, dann sage ich allen jungen Frauen: ‚Jedes Jahr, das ihr früher Kinder bekommt, ist eine Chance, die schreckliche Pubertät leichter zu überstehen. Wenn ihr so lange wartet wie ich, dann geht ihr am Schluss auf dem Zahnfleisch.'"

Jeder in einer Krisensituation kennt das Gefühl innerer Einsamkeit und den Wunsch, auf eine einsame Insel auszuweichen. Anderseits gibt es unendlich große Wünsche nach Gemeinsamkeit, nach Übereinstimmung, nach Verbundenheit und damit nach entspannender Zugewandtheit. Uta und ihre Mutter haben es schwer, in ihrer jeweiligen Krisensituation die Brücke zu finden, die sich von einer Insel zur andern spannt. Beide neigen dazu, sich noch mehr in ihr Unverstandensein zurückzuziehen und vom anderen die erlösende Aktivität zu erwarten. Auf diese Weise entsteht keine Verbundenheit, keine Kommunikation, sondern die Isolation nimmt noch stärker zu.

Bildanalyse: „Aber sie ist doch mein Baby!"

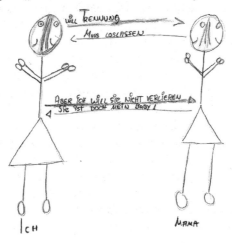

Zwei gleich große Figuren stehen nebeneinander, ähnlich, jedoch nicht identisch. Auffallend ist, dass Uta zwei Kommunikationsebenen zeichnet: eine von Kopf zu Kopf, d. h. die Verstandes- und Bewusstseinsebene, und eine von Bauch zu Bauch, was die Gefühlsseite, das Unbewusste symbolisieren könnte. Mutter wie Tochter scheint klar zu sein, dass in dieser Entwicklungsphase Distanzierung das notwendige und situationsgerechte Lösungsmittel ist. Uta zeigt jedoch in Gestalt des mütterlichen Kopfes eine deutliche Zwiespältigkeit auf: Über die Sprache der Augen drängt sich der Eindruck auf, dass gleichermaßen Zuwendung wie Abwendung das Erleben bestimmen. In Utas Selbstbildnis liegt in den Augen ein deutlicher Ausdruck von Angst. So relativiert sich der autonome Anspruch, und eine Sehnsucht wird offenbar, die sich auch im mütterlichen Ausspruch wiederfindet: „Sie ist doch mein Baby." Wünsche nach Eigenständigkeit kreuzen sich mit jenen nach Abhängigkeit. Die Bereitschaft, zu versorgen und zu verwöhnen, überschneidet sich mit dem Streben nach Unabhängigkeit. Mutter wie Tochter sind verstrickt in diese ambivalenten Gefühle und können zu keiner Eindeutigkeit, zu keiner klaren Linie finden, weder im Fühlen noch im Verhalten: Ich bin eine unbekannte, unentdeckte Insel, mir selber fremd – ich bin reif für die Insel, um nicht in den Zustand der Selbstentfremdung zu geraten. Eine ähnliche Thematik, und doch trennen mütterliches und töchterliches Erleben Welten voneinander!

Um die Komplexität der Beziehung zwischen Uta und ihrer Mutter zu verstehen, lohnt es sich, der Beziehungsdynamik in der mütterlichen Primärfamilie nachzugehen:

Utas Mutter berichtet von sich, sie sei früher ein lautes und umtriebiges Kind gewesen. Ihre Mutter, nicht selten völlig entnervt, habe mit aller Strenge versucht, aus ihr ein liebes, freundliches, hilfsbereites Mädchen zu machen. Allerdings ohne viel Erfolg, jedoch habe Utas Mutter immer unter heftigen Schuldgefühlen gelitten, verbunden mit dem

Empfinden, nicht richtig zu sein. Ihr Vater spielte in der Erziehung keine Rolle. Als Wissenschaftler habe er sich in seine Forschungsprojekte vergraben und seiner Frau die familiäre Dominanz überlassen. Dieses beherrschende Verhalten sei der Mutter noch immer eigen. Viel zu oft mische sie sich auch heute noch in Erziehungsfragen bei den Enkelkindern ein, korrigiere die Tochter und äußere wiederholt, jene sei mehr für die Rolle einer berufstätigen Frau geboren als für die der Mutter.

Als Heranwachsende grenzte sich Utas Mutter bewusst von der mütterlichen Dominanz und den von dieser vertretenen Wertvorstellungen ab, indem sie sich genau gegenteilig verhielt. „An dir ist ein Junge verloren gegangen", pflegte der Vater als Kommentar abzugeben. Hinter dieser Gegenbewegung verbarg sich jedoch keine echte Autonomie, denn obwohl sie die Mutter in ihrer Person und ihren Verhaltensweisen ablehnte, wählte sich Utas Mutter in unbewusster Identifikation einen Partner, der ähnlich fern war wie der eigene Vater. Zog jener sich hinter seine Bücher zurück, wählte dieser Computer und Fernsehen. Auch ihr Mann überließ ihr die bestimmende Rolle in der Familie, die Utas Mutter zwar einerseits als Überforderung empfand, der sie jedoch andererseits bestmöglich nachzukommen versuchte. „Du bist genauso beklemmend tüchtig wie deine Mutter", kommentierte Utas Vater, allerdings ohne die Situation zu ändern. Nachdem Utas Großmutter nicht berufstätig gewesen war, übertraf die Tochter sie sogar noch an zupackender Aktivität, womit sie das Mutterproblem durch ein „Überwachsen" bewältigt zu haben schien.

Dass dies ein Trugschluss war, wurde mit der Geburt der Kinder nach längeren Ehejahren sichtbar. Die Zwiespältigkeit, die sich in aggressiver Abgrenzung („Ich will auf keinen Fall so werden wie meine Mutter!") und gleichzeitiger unbewusster Identifikation mit der Mutter äußerte, drückte sich in der Beziehung zu den Kindern aus: Während dem Sohn als „typischem Jungen" aggressives, lautes Verhalten zugestanden wurde, musste Uta die Rolle übernehmen, die Utas Großmutter eigentlich der eigenen Tochter zugedacht hatte: lieb, angepasst, unauffällig, ein „richtiges Mädchen".

Mit Beginn der Pubertät stellte sich Uta die gleiche Frage wie einst ihre Mutter: „Bin ich so, wie meine Umwelt mich erwartet und braucht, oder bin ich, wie ich selbst sein möchte?" Dadurch geriet Uta in einen ähnlichen Zwiespalt wie ihre Mutter. Einerseits musste sie sich um ihrer selbst willen vom mütterlichen Wunschbild abgrenzen, das möglicherweise als Zugeständnis an die Großmutter und deren Wertewelt gedacht war, gleichzeitig bestand der Wunsch, sich mit der Mutter zu identifizieren, um nicht Nähe und Zuwendung zu verlieren und damit in aller Rollenunsicherheit allein zu bleiben. Uta wählte eine neue, in der bisherigen Familiendynamik noch nicht „verbrauchte" Rolle, die ihr auf diese Weise Originalität versprach: Sie zog sich auf der einen Seite stumm und gleichzeitig vorwurfsvoll zurück, versuchte sich zwar gelegentlich mit einem „nein" abzugrenzen, schluckte jedoch überwiegend Gefühle der Empörung und des Nichtverstandenseins herunter. Auf der anderen Seite ergab sich bei aller bewussten Unterscheidung auf diese Art ein Stück Gemeinsamkeit. Beide, Mutter und Tochter, möchten am liebsten verschwinden, sich dem ganzen Wirrwarr unlösbarer Widersprüche entziehen und irgendwo unbelastet leben. Statt Mutter und Tochter zu verbinden, entfernt sie jedoch dieser Wunsch noch weiter voneinander, schafft Abgründe, wo Brücken ersehnt werden, verstärkt Fremdheit, wo Vertrautheit gewünscht wird, provoziert Missverständnisse, wo Klarheit notwendig wäre.

Dreh- und Angelpunkt der gesamten krisenhaften Problematik zwischen Uta und ihrer Mutter ist die ungeklärte Beziehung zwischen Utas Mutter und deren Mutter. Würde jener bewusst, dass die Erziehung Utas zu einem „lieben" Mädchen möglicherweise als Opfer und Wiedergutmachung hinsichtlich der frühen Schuldgefühle ihrer eigenen Mutter gegenüber zu verstehen ist, könnte sichtbar werden, dass die fremde Tochter Symbol und Ausdruck der Fremdheit gegenüber der eigenen Mutter ist, die ihrerseits zu wenig einfühlsam und respektvoll mit der ihr fremden Tochter umging.

Erwachsen sein heißt, die Realität der eigenen Eltern zu erkennen und kindliche Wunschvorstellungen aufzugeben. Manchmal können Mütter, und auch Utas Mutter gehört bei aller äußeren Tüchtigkeit dazu, den Eindruck erwecken, als säßen sie noch auf dem Wartebänkchen, um endlich bezogene Mütterlichkeit zu erleben. Dazu ist Utas Großmutter offenbar bis heute nicht fähig. Dies anzuerkennen und sich dann von Dominanz und Wunschvorstellungen der Mutter abzugrenzen, könnte Utas Mutter erleichtern, das eigene Lebensalter zu bejahen und die altersgemäß anstehenden Entwicklungsaufgaben als positive Herausforderung zu betrachten, statt das Altern zu einer Katastrophe zu machen. Infantile Erwartungshaltungen verhindern selbstbewusstes Älterwerden. Wird dieser Bewusstwerdungsschritt unterlassen, gleicht eine Frau einer Rosenknospe, die verblüht, bevor sie überhaupt erblüht ist. Dann muss Altern tatsächlich als ein Betrug am eigenen Leben empfunden werden.

Jean Jacques Rousseau drückt die Vielschichtigkeit dieser Thematik mit den Worten aus: „Um Kinder erziehen zu können, wartet doch bitte so lange, bis ihr selbst keine mehr seid."

Gelingt der Sprung in ein Stück innere Unabhängigkeit trotz früherer belastender Prägungen, fällt auch Begegnung, Auseinandersetzung und Wiederannäherung mit einer pubertierenden Tochter leichter, obwohl oder gerade weil man als Mutter in den Wechseljahren älter ist.

Töchter brauchen Mütter, brauchen den gleichgeschlechtlichen Elternteil, um die eigene Rolle zu finden. Ein Kunststück, wenn es gelingt, trotz aller Spannungen das Wissen um die rollenspezifischen Gemeinsamkeiten nicht zu verlieren. Über eine positive Identifikation mit der Mutter könnte Uta eine auch in Belastungen tragende, weibliche Identität aufbauen, die einen sicheren Platz in der Welt ermöglicht. Dazu müssten beide, Uta wie ihre Mutter, die eigene und die Ambivalenz des jeweils anderen anerkennen, um in kleinen Schritten zur eigenen Eindeutigkeit zu finden: Das bedeutet Trennung in Wehmut; es bedeutet, den Schmerz zuzulassen, um im Geworfensein auf sich selbst Eigenständigkeit als Individuum zu entwickeln. Dann ist es möglich, sich in weiblicher Solidarität neu zu begegnen.

Rebell und verkannter Sohn –
Verachteter und geachteter Vater

„Wenn mein Vater doch nur sehen könnte ..."
(Simon, 13 Jahre)
Simon ist ein fast 14 Jahre alter, hochaufgeschossener Junge mit markanter Nase und eckigen Bewegungen. Er ist ein Einzelkind. Zunächst erlebt er die Gesprächssituation als offensichtlich peinlich, räkelt sich auf dem Stuhl hin und her und vermeidet den Blickkontakt. Schließlich gibt er sich einen spürbaren Ruck, strafft den Rücken und berichtet dann sehr freimütig über die Beziehung zu seinem Vater:

„Mein Vater, das ist so ein Mensch, der eigentlich nur an sich denkt. Er glaubt, er wäre der Größte, er glaubt, er wäre der tolle Hecht, der alles managt und das Geld herbeischafft, und wir, die Mama und ich, wir haben dankbar zu sein. Wenn man mit ihm redet, dann spricht er eigentlich nur von sich, dieser eingebildete und aufgeblasene alte Bock, wie toll er doch ist, wie erfolgreich im Geschäft und wie ihn dort alle bewundern. Er kann eigentlich überhaupt nicht zuhören. Wenn man ihm das sagt, dann hat er so eine Art, gemein zu lächeln. Vielleicht fällt ihm ja auch nichts ein, das kenne ich auch, aber es wirkt so von oben herab, dass ich ihm am liebsten eine reinschlagen würde, damit er mal von seinem Sockel herunterfällt. Meint er denn, er wäre ein

Leben lang der Größte, merkt er eigentlich nicht, dass er schon ein ziemlich alter Dackel ist? Und dann glaubt er, er müsse mich belehren und erzählt irgendwelche Stories, die mich überhaupt nicht interessieren, z. B., was er unter Bildung versteht und dass ich und die anderen jungen Leute ja fürchterlich ungebildet und dumm seien. Wenn ich ihm aber etwas sage, was er auf dem Computer machen soll, dann hat er nicht die geringste Ahnung und begreift überhaupt nicht, was ich ihm sage. Ich muss es ihm zehnmal wiederholen, und dann hat er's trotzdem noch nicht geschnallt. Neulich habe ich ihm sein Handy erklärt und wie er eine SMS schicken kann. Das habe ich ihm hundertmal wiederholen müssen, bis mir irgendwann der Geduldsfaden gerissen ist und ich ihn angeschrien habe, er sei doch der vollkommene lahmarschige Depp. Da war er beleidigt, der Wichtigtuer.

Auf der anderen Seite möchte ich zu gern, dass er endlich mal sieht, was ich kann, dass er mich auch mal lobt. Ich glaube, dass er mich noch nie in meinem ganzen Leben gelobt hat, jedenfalls kann ich mich nicht daran erinnern. Schließlich könnte er auch ein bisschen stolz auf mich sein und merken, dass ich gerade beim Computer fit bin. Aber wo er nicht King ist, da hört er einfach weg. Ich finde ihn ja manchmal auch klasse, wie er seinen Job macht und so viele Menschen ihn Chef nennen. Schließlich verdient er ja auch eine Menge Kohle, da muss er schon gut sein heutzutage. Ich würde ihm auch gern sagen, dass ich stolz auf ihn bin und andere Väter das nicht so blicken mit der Arbeit. Aber wenn er so fies grinst, dann ist alles weg. Manchmal kommt er am Wochenende und verkündet, heute könnten wir gemeinsam etwas unternehmen, heute hätte er Zeit. Aber wenn mir dann nicht gleich was einfällt, was ihn interessiert, dann telefoniert er schon wieder mit allen möglichen komischen Gestalten und erzählt mir, ich sei selber schuld, wenn ich so passiv wäre, dann würde er seine Zeit eben anders und aktiv nutzen. Eigentlich kann er mir allmählich gestohlen bleiben, aber als er mir neulich angeboten hat, wir würden miteinander im Winter Ski fahren gehen, da habe ich es mir doch überlegt, denn das könnte ja auch megacool werden. Vielleicht ... ach, ich weiß auch nicht!"

„Wer ist mein Sohn, und wer bin ich?"
(Simons Vater, 58 Jahre)

Simons Vater, ein Unternehmer, ist ein vitaler Mann, groß, kräftig. Man merkt, dass er gewöhnt ist zu organisieren und den Ton anzugeben. Aufgrund seiner verantwortlichen beruflichen Position weilt er immer wieder über Tage, manchmal sogar Wochen im Ausland. Im Gespräch wirkt er trotz seines vordergründigen Engagements auf eine irritierende Art unbeteiligt. Man hat das Gefühl, dass das Gespräch für ihn keine besonders große Bedeutung hat. Es ist etwas, das schnell zu einem Ende kommen sollte, weil offensichtlich Wichtigeres wartet. Hinsichtlich seines Sohnes äußert er ähnlich zwiespältige Gefühle wie dieser ihm gegenüber:

„Mein Sohn ist wirklich ein verwöhntes kleines Ungeheuer, seine Mutter behandelt ihn einfach zu sehr als Erwachsenen, und gleichzeitig erfüllt sie ihm nahezu jeden Wunsch, das kann ja auf Dauer nicht gut gehen. Natürlich liegt es auch daran, dass ich oft weg bin und mich, das muss ich zugeben, aus der Erziehung weitgehend heraushalte. Mir ist mein Sohn gerade jetzt, in der Pubertät, sehr fremd geworden. Seine Aggressionen sind maßlos, er ist in seinen Verbaläußerungen wirklich unverschämt, beschimpft mich in wenig feinen Ausdrücken, so dass ich bald nicht mehr weiß, wie ich reagieren soll. Sein einziges Thema ist Computer: Er mag da ja Fähigkeiten haben, aber mich interessiert das wirklich nur am Rande. Ich nutze den PC so gut wie nie; Gott sei dank habe ich gute Sekretärinnen, die mir in diesem Punkt alles abnehmen. Was echte Bildung anbelangt, so scheint es wohl heute üblich zu sein, sich nicht mehr dafür zu interessieren. Das Allgemeinwissen ist eine Katastrophe, und wenn ich mal nach geschichtlichen Zusammenhängen frage, dann schweigt mein werter Sohn. Andererseits kann er auch gelegentlich lieb und nett sein, gewinnend und hilfsbereit, aber das ist leider nie von Dauer. Wenn er dann so freundlich auf mich zukommt, denke ich, er ist wirklich ein Goldstück und freue mich an ihm. Aber wenn er dann wieder seine aggressiven Kraftausdrücke bringt oder seine Monologe über den Computer hält, dann könnte ich ihn am liebsten auf den Mond schießen. Dann ziehe ich mich zurück, dabei kommt mir natürlich meine Arbeit sehr gelegen.

Das ist in meinem Alter jedoch auch nicht mehr so mühelos. Der intensive berufliche Einsatz schlaucht mich mehr als es äußerlich, so hoffe ich, sichtbar ist. Die Konzentration lässt nach, ich kann mir kein Abschweifen mehr erlauben. Meine größte Sorge ist, Fehler zu machen. An so etwas dachte ich früher nicht, da konnte ich mich hundertprozentig auf mich verlassen. Manchmal wache ich nachts schweißnass auf und kann nicht mehr schlafen, weil ich das Gefühl habe, die Arbeit erschlägt mich und die Jungen sitzen schon in den Startlöchern, um mich zu ersetzen. Aber ich werde keine Schwäche zeigen, sondern beiße die Zähne zusammen – das würde den jungen Leuten heute auch gut anstehen! Übrigens macht mir meine Frau immer wieder Vorwürfe, ich lebte nur noch für den beruflichen Erfolg. Sie hat keine Vorstellung, wie schwer es mir fällt. Aber ich sage nichts und behalte meine Sorgen für mich. Was Simon anbelangt, so hat sie ganz einfach den besseren Draht zu ihm und kommt mit diesen pubertären Verhaltensweisen ganz offensichtlich besser zurecht. Ich kann nur hoffen, dass sich das mit der Zeit von selber auswächst. Wir haben schließlich alle die Pubertät einigermaßen durchgestanden und dabei auch nicht allzu viel Hilfe von unseren Eltern bekommen, insofern halte ich mich am liebsten bedeckt und warte ab."

Das Bild wird von zwei kriegerischen Figuren bestimmt. Die vordere, größere, soll den Vater darstellen. Sie beherrscht den rechten Teil des Bildes. Der Blick, von einer Sonnenbrille verdeckt, richtet sich aus seiner Perspektive nach links, einer Seite, die im Allgemeinen der Gefühlsseite zuzuordnen ist. Könnte darin bereits ein dem Sohn nicht bewusster Wunsch enthalten sein, der Vater möge sich von der sein Leben bestimmenden rationalen Seite ab- und seinen Empfindungen zuwenden? Das Gewehr als symbolischer Ausdruck seiner zielgerichteten Energie ersetzt nahezu den linken Arm, der überwiegend für das emotionale Sein und Fühlen, das unbewusste Handeln steht. Der Patronengürtel um die Brust unterstützt den Eindruck einer ständigen Kampfbereitschaft. Gleichzeitig könnte man jedoch auch an den Diener Heinrich im „Froschkönig" erinnert werden, der sich ein eisernes Band um das Herz legte, um seine schmerzlichen Gefühle nicht zu spüren. Dieses Band brach erst, als die erlöste Situation ihm erlaubte, wieder „von Herzen" zu fühlen. Die zusammengepressten Beine geben der Figur etwas Statisches, was von den Füßen, die sowohl nach rechts wie nach links gerichtet sind, unterstrichen wird. Die gefletschten und gleichzeitig wie ineinander verbissenen Zähne verstärken den Eindruck einer vordergründigen Machtpose bei gleichzeitiger Erstarrung.

Die Figur im Hintergrund stellt Simon dar. So ähnlich sie dem Vater auf den ersten Blick zu sein scheint, gibt es doch Unterschiede: Die Haare liegen wie ein Band um den Kopf, während sie dem Vater zu Berge stehen. Die Augen, ebenfalls von einer Sonnenbrille verdeckt, sind nach vorn gerichtet, die Arme, zwar noch hilflos ausgebreitet, so dass das Gewehr in der Luft hängt, könnten mit ihren kräftig ausgeführten Händen jederzeit zupacken; dies umso mehr, als die Beine bei Simon selbst nicht mehr eng beieinander stehen, sondern eigenständige Schritte zuließen, wenn der Jugendliche sich erlaubte, die Füße geradeaus zu setzen. Der Sohn im Aufbruch zur eigenen Männlichkeit, aber auch in der Bereitschaft zu kämpfen und sich die Position gewaltsam zu nehmen, die ihm sein Vater zu verwehren scheint!

Das Bild ist der verzweifelte Appell des Sohnes an den Vater, gesehen zu werden, gerade in seiner potentiellen Kraft. Erst wenn die Anerkennung fehlt, greifen die Söhne zur Gewalt und erzwingen sich in der Reifezeit in zunehmendem Maße, was ihnen nicht freiwillig geschenkt wird.

Im Bemühen, die gespannte Interaktion zwischen Simon und seinem Vater besser einordnen zu können, ist es hilfreich, das Gewordensein von Simons Vater näher zu beleuchten:

Simons Vater wuchs seinerseits ohne Vater auf. Dieser fiel noch in den letzten Kriegstagen, so dass sein Sohn ihn nie kennen lernte. Jener blieb ein junger strahlender Held, der im silbernen Rahmen auf dem Klavier thronte und in späteren Jahren die Geläufigkeitsübungen seines Sohnes auf einem verhassten Instrument mit jungenhafter Unbeschwertheit zu belächeln schien. Und in seinem kostbaren Rahmen wurde er einfach nicht älter, verlor nie seine heitere Überlegenheit, was ihm Simons Vater zutiefst übel nahm. Die Mutter konzentrierte alle Liebe und Fürsorge auf dieses einzige Kind und sah die perfekte Erziehung als ihre zentrale Aufgabe, gewissermaßen als Vermächtnis an. Sie versuchte, Simon eine gute Bildung zu vermitteln, las mit ihm bereits in frühester Jugend Klassiker, kontrollierte seinen Umgang und hielt darauf, dass er sich nur mit Kindern aus gutbürgerlichem Milieu abgab. Großen Wert legte die Mutter auf eine gepflegte Umgangssprache. Kraftausdrücke waren verpönt und ernteten, wenn sie je fielen, bei der Mutter einen verzweifelten Blick gen Himmel. Das genügte, um dem Sohn das Verwerfliche seines Tuns deutlich zu machen.

Simons Vater blieb über seine ganze Kindheit und Jugend der von der Mutter vergötterte Mustersohn. Er absolvierte die Schule mit besten Noten, wählte mit Billigung der Mutter („man muss mit der Zeit gehen") statt eines klassischen akademischen Studiums Betriebswirtschaft und arbeitete sich innerhalb kurzer Zeit an die Spitze eines führenden Unternehmens. Bis die Mutter starb, lebte er bei ihr und teilte sein Privatleben weitgehend mit ihr. Dies geschah auf hohem geistigen Niveau. Es gab Theater- und Konzertbesuche und lebhafte Gespräche über die Inhalte, in denen immer wieder eine hohe Übereinkunft in den Wertevorstellungen zustande kam. „Meine Mutter betonte immer unsere Seelenverwandtschaft!" Für Simons Vater steht seine Mutter, obwohl sie bereits mehr als 15 Jahre tot ist, noch heute auf einem Sockel. „Sie war einfach eine außergewöhnliche Frau." Die Problematik seiner Fixierung auf die Mutter kann er nicht wahrnehmen, vielmehr sieht er sie als Vorbild an Mütterlichkeit, umso mehr, als sie seinetwegen auf eine erneute Heirat verzichtete.

Nach ihrem Tod heiratete Simons Vater sehr schnell eine Frau, der er schon länger freundschaftlich verbunden war. Es war nicht die große Liebe, aber sie entsprach seinen Vorstellungen insofern, als sie gebildet, differenziert und selbstständig war und auf diesem Hintergrund der Übergang von der Mutter zu ihr sehr organisch schien. Angesichts des fortgeschrittenen Alters und der „biologischen Uhr" entschlossen sich beide spontan sofort zu einem Kind, jedoch war es wohl „letztlich mehr ihr Wunsch als der meinige". Simons Mutter, eine engagierte Germanistin, glaubte, möglicherweise etwas zu versäumen, wenn sie auf ein Kind verzichtete, obwohl eine Einschränkung ihrer Berufstätigkeit unumgänglich war. Ein Zurückstecken im Beruf stand für den Vater außerhalb jeder Diskussion. Trotzdem stand er, solange er Simon als abhängiges kleines Kind sah, immer wieder als liebevoller Vater zur Verfügung. In dem Maße jedoch, wie der Sohn zunehmend ein persönliches Profil entwickelte, distanzierte er sich, flüchtete sich mehr und mehr in die Arbeit und überließ der Ehefrau die ausschließliche Verantwortung in der Betreuung und Förderung des Kindes. Diese beklagte sich zwar einerseits über den fahnenflüchtigen Ehemann, fühlte sich jedoch gleichzeitig aufgerufen, eine optimale Mütterlichkeit unter Beweis zu stellen und engagierte sich in nahezu identischer Weise, wie es der Vater von seiner Mutter als richtiges Verhalten gewohnt war. Ein zusätzliches Motiv für Simons Mutter, ihr Engagement in dieser intensiven Weise aufrecht zu halten, war das Bedürfnis, das Fehlen des Vaters zu kompensieren. Damit erreichte sie jedoch keinen Ausgleich, sondern vertiefte die Einseitigkeit: zu wenig Vater auf der einen, zu viel Mutter auf der anderen Seite. Das Resultat ähnelte der Situation bei der Schwiegermutter: ein heranwachsender Sohn in intensiver Bindung bzw. Abhängigkeit vom Weiblich-Mütterlichen bei gleichzeitigem Mangel an lebendigem und bezogenem männlichen Vorbild. Auch die Folgen glichen sich: Zorn und Wut auf den fernen Vater, den Simons Vater im Angesicht der lächelnden Überlegenheit eines Vaters im silbernen Rahmen zwar empfand, aber nicht in Beziehung und Auseinandersetzung leben konnte, hinderten ihn daran, die Pubertät zu einer Zeit des Aufbruchs und der Ablösung zu nutzen, um die eigene Identität zu finden. Auch Simon empfindet Aggression, einmal aufgrund seiner ähnlichen Gefühlssituation, dann aber auch als Träger des untergründigen Vermächtnisses einer ungelösten Konfliktsituation. Allerdings bietet sich ihm angesichts eines existenten, wenn auch fernen Vaters die Möglichkeit, diese zu leben und damit auf die aktuelle Notsituation mit Hilfe eines Aufsehen erregenden Verhaltens aufmerksam zu machen.

Vor diesem Hintergrund ist es nicht verwunderlich, dass sich Vater und Sohn immer wieder neu entwertend angehen müssen, weil sie wechselseitig wie in einen Spiegel blicken. Jeder beurteilt den anderen als „Wichtigtuer", ahnt zwar die kompensatorische Funktion, übersieht jedoch bei sich den Balken, wohingegen er über den Splitter im Auge des Gegenübers außer sich ist. Das Monologisieren ist beiden gemein, nur die Themen unterscheiden sich. Auch das fehlende Hinhören ist eine gemeinsame Eigenschaft. Statt Übereinstimmung, Harmonie und vielleicht auch einem humorvollen Lachen im Entdecken dieser Ähnlichkeit löst sie bei beiden Empörung aus und das Gefühl, verkannt zu sein. Ganz offensichtlich wird in diesem Augenblick bei beiden das Empfinden von Selbstunsicherheit und Unterlegenheit angestoßen, was immer aggressive Reaktionsbildungen zur Folge hat. Das hinter beider Verhalten spürbare seelische Schwanken, der Mangel an innerer Stabilität, ist Folge einseitiger Prägungen in der Kindheit. Beiden fehlte weitgehend die Erfahrung des Dritten, des Männlichen, als strukturgebendem Prinzip. Dieses Ungleichgewicht wurde als labiles Selbstgefühl verinnerlicht und ufert in der Selbstdarstellung in narzisstische Selbstgefälligkeit aus. Beide verharren dabei in der Überhöhung der eigenen und der Entwertung der anderen Position, so dass man an Schiller erinnert wird, wenn er sagt, dass man sich einen Augenblick reich fühlt, wenn man dem anderen etwas nimmt. Auf diese Weise wird eine angemessene selbstkritische Haltung, die zu konstruktiver Selbsterkenntnis führen könnte, verhindert. Weil jedoch das so ähnliche Gegenüber genau diese Entwicklungschance böte, bleiben Vater und Sohn negativ aufeinander fixiert, ohne wirklich zueinander kommen zu können. In der wechselseitigen destruktiven Entwertung, in der Erfahrung, dass auch negative Reibung Wärme erzeugt, werden Energien verschleudert. Ein hoher Einsatz, welcher das Ausmaß der Sehnsucht ahnen lässt! Während jedoch Simon noch um die für ihn in der Pubertät doppelt wichtige Beziehung zum Vater kämpft, hat dieser offensichtlich resigniert. Dies mag verstärkt sein durch die angesichts der Wechseljahre akzentuierte, ihn selbst ängstigende subjektive Krisensituation. Als heroischer Steppenwolf versucht er jedoch, der Umwelt gegenüber das Gesicht zu wahren. Die Verantwortung für den Sohn und damit verbunden auch eine eigene Reifungschance hat er endgültig an die Macht des Mütterlichen zurückdelegiert, was seinem eigenen Lebensskript entspricht. Damit verharrt er aber bei allem äußeren Erfolg im Käfig der Abhängigkeit, vergleichbar dem Hänsel im Märchen. Einst hatte seine Mutter ihn „zum Fressen gern", heute überlässt er seinem Sohn die gleiche Rolle und macht damit erneut und diesmal bewusst die Mutter zum Schicksal, einem Schicksal, dass dem Männlichen in der Atmosphäre von Verwöhnung das Recht auf Autonomie verwehrt.

Söhne in der Pubertät sind auf die Präsenz ihrer Väter in besonderem Maße angewiesen. Gerade Simon in seiner engen Bindung an die Mutter müsste im Vater einen positiven

Bezugspunkt erleben, um die altersgemäße Ablösung von der Mutter zu wagen. In seiner Zwiespältigkeit, in seinem Überengagement im Beruf reizt Simons Vater jedoch nicht zur Identifikation, so dass Simon in einer hochgradigen Ambivalenz stecken bleibt, die ihm in der Konsequenz progressive Entwicklungsschritte in eine reife männliche Identität erschwert.

Umgekehrt böte sich für Simons Vater in einer engeren Beziehung zum Sohn, die auch die vitale Auseinandersetzung in sich schließt, die Chance, seine nicht wirklich gelebte Pubertät in der Identifikation mit dem Sohn ein Stück weit nachzuholen, was einer Annäherung an seine emotionalen Seiten entspräche. Vielleicht würde ihm im lebendigen Dialog mit seinem Sohn klarer, in wie starkem Maße er vor seiner eigenen Midlife-Crisis in den Beruf flieht, der zwar vordergründig Sicherheit zu versprechen scheint, ihm jedoch auf der anderen Seite als Folge der selbstinszenierten Überforderung genau das bescheren kann, wovor er flieht: Versagen, Gefühle der Minderwertigkeit und die Niederlage im Rivalitätskampf mit jüngeren und vitaleren Menschen.

Provokation und Resignation – Ängste und Depressionen

„Warum entdeckt niemand hinter der harten Schale meinen weichen Kern?" (Anna, 14 ¹/₂ Jahre)

Anna, 14 ¹/₂ Jahre, ist ein bildhübsches, zierliches Mädchen und Einzelkind, das im Gegenüber sehr unterschiedliche Empfindungen weckt: Einmal wirkt sie in ihrer offenen, strahlenden Art wie eine Prinzessin. Ein anderes Mal, wenn sie sich frierend in ihre Jacke wickelt und die Mütze bis auf die Augen herunterzieht, gleicht sie einem hilflosen, verlassenen Kind. Es drängt sich dann die Parallele zu dem „Kleinen Mädchen mit den Schwefelhölzchen", dem Märchen von

Hans Christian Andersen, auf. Entsprechend diesem wechselnden äußeren Erscheinungsbild verfügt Anna über eine große Bandbreite unterschiedlichster Reaktionsmuster und Verhaltensweisen. Im Gespräch wechseln flammende Vorwürfe abrupt mit Äußerungen einfühlenden Verständnisses, die Bereitschaft zu selbstkritischen Überlegungen mit eruptiven explosiven Entladungen. Gleichzeitig wütend und enttäuscht äußert sie:

„Warum merkt niemand, was in mir vor sich geht? Natürlich bin ich nicht sehr freundlich zu meiner Umwelt, aber meine Eltern regen mich einfach maßlos auf. Meine Mutter mit ihrem traurigen Geseiere, mit diesem klagenden Ton, der mir schon von vornherein auf die Nerven geht. Diese dumme Ziege, die es einfach nicht fertig bringt, sich andern gegenüber zu behaupten, die alles für die Nachbarn, für die Oma, für die Verwandtschaft tut und sich hinterher darüber beklagt, dass ihr niemand dankbar ist. Ich könnte ihr ins Gesicht springen! Warum sagt sie nicht ,nein' und verkauft sich ein bisschen wertvoller! Aber immer, wenn ich es ihr sage, dann sagt sie: ,Das verstehst du sowieso nicht! Wenn ich so unverschämt zu meiner Umwelt wäre wie du, dann würde mich überhaupt niemand mehr mögen.' Die ist einfach hohl, die begreift nicht, dass sie von aller Welt ausgenützt wird und dass man sie mehr mögen und mehr schätzen würde, wenn sie nicht alles täte, was die anderen bequemerweise von ihr erwarten. Und dann klagt sie wieder stundenlang an mich hin oder auch an meinen Vater, wie unverstanden sie ist und dass sie doch alles täte und niemand nett zu ihr sei und so weiter und so weiter. Ich kann dieses blöde Gelabere nicht mehr ausstehen und würde sie am liebsten schütteln. Mir gegenüber sagt sie dann immer wieder: ,Wenn ich nicht so geduldig wäre und mir alles von dir sagen ließe, dann würdest du dich schon umschauen.' Wahrscheinlich erwartet sie von mir, dass ich ähnlich sanft und milde sein soll. Aber das will ich nicht und kann es auch nicht. Ich bin nicht ihr Abziehbild! Mir wäre es, ehrlich gestanden, lieber, sie würde mich auch mal anschreien und mir zeigen, dass sie nicht alles so stillschweigend hinnimmt, was ich ihr sage.

Mein Vater, das ist auch so ein blöder Mickerling, eigentlich genau das gleiche Weichei wie meine Mutter. Er lächelt still und sagt kein Wort, ich könnte ihm dann am liebsten eine reinschlagen. Ich schrei ihn dann auch an und beschimpfe ihn, aber er lächelt nur und tut dann so überlegen, als wäre ich das kleine dumme Mädchen und hätte keinen Durchblick und er sei der große Zampano und einfach der Tollste. Dabei ist er eigentlich nur ein Schwächling und kann sich im Beruf genauso wenig behaupten wie meine Mutter. Ich sage das meinen Eltern immer wieder und beschimpfe sie. Ich weiß genau, dass das nicht gerade die feine Art ist, aber ich hoffe dann immer wieder, dass sie's vielleicht doch noch lernen. Am meisten mache ich mir doch um meine Mutter Sorgen. Die ist so unsicher. Mit jedem Wort, das sie sagt, entschuldigt sie sich eigentlich dafür, dass sie eine eigene Meinung äußert. Und dann dieser klagende Ton! So kann man doch nicht leben. Irgendwo habe ich Angst, ich könnte genauso werden und in meinem Leben nichts auf die Reihe kriegen. Und dann könnte ich wieder vor Wut aus der Haut fahren. Warum habe ich nur so eine Mutter! Ich möchte sie einfach aufrütteln, wenn ich sie so anschreie. Sie ist mir doch wichtig!"

„Wir stehen mit dem Rücken zur Wand!" (Annas Eltern, 49 und 52 Jahre)

Annas Eltern, ein ruhiges, fast schüchtern wirkendes Paar, erwecken tatsächlich den Eindruck, als ob sie sich für ihre Existenz entschuldigten. Annas Vater lächelt milde, während er im Gespräch seiner Frau den Vortritt lässt und nur gelegentlich bestätigend und unterstützend eingreift, während sie mit klagender Stimme ihr subjektives Leid in Worte fasst:

„Sie glauben gar nicht, wie aggressiv unsere Tochter sein kann, sie beschimpft uns mit den wüstesten Ausdrücken:

‚Weichei', ‚Schlappschwanz' sind noch ganz harmlose Bezeichnungen. Sie kennt keine Grenzen, und je mehr wir begütigend auf sie einreden, desto maßloser und ausfallender wird sie. Ich weiß gar nicht, woher sie das hat, von mir jedenfalls nicht! Man kann doch auch etwas friedlicher sein und unterschiedliche Meinungen etwas rücksichtsvoller von sich geben. Wir wollen ja das Beste für unsere Tochter und haben immer versucht, sie zu fördern, ihre Wünsche zu erfüllen und ihr die Möglichkeit zu geben, sich frei zu äußern. Aber jetzt haben wir wirklich das Gefühl, dass wir uns kaum noch dagegen behaupten können. Manchmal müssen wir Partner uns richtig den Rücken stärken, um unserer ausfallenden Tochter gegenüber standzuhalten. Sie muss doch auch sehen, dass wir selber mit einer Krise kämpfen, dass wir uns beide fragen, ob das jetzt schon alles war, ob man sich jetzt aufs Alter vorbereiten muss oder ob es einen Ausblick gibt.

Für mich als Frau ist es schwierig, beruflich wieder Fuß zu fassen. Ich müsste mich auf dem Computer schulen lassen, und das traue ich mir nicht zu. Durch die ständigen Auseinandersetzungen fühle ich mich verbraucht. Es ist, als ob ich immer gerackert und doch nichts zustande gebracht habe. Wenn ich mich auf den Elternabenden mit den anderen Müttern vergleiche, sehe ich mich als alte Frau, die keine Perspektive hat. Die anderen Mütter sind meist jünger, haben zusätzlich noch kleinere Kinder und wirken so resolut und tatkräftig. Wir hatten gehofft, dass nach den langen Jahren des Wartens dieses Kind Sonne und Fröhlichkeit in unser Leben bringen würde. So habe ich es mir nicht vorgestellt. Und wenn ich denke, dass es noch schlimmer wird, wenn sie erst einmal einen Freund hat, dann mag ich nicht mehr leben." Annas Mutter bricht bei diesen Worten in Tränen aus.

„Und für mich", so der Vater, „ besteht immer wieder die Sorge, dass ich auf meinen Arbeitsplatz langfristig nicht vertrauen kann, das bedeutet einfach in meinem Alter auch

Ängste und Unsicherheiten. Ich bin mit Sicherheit kaum noch vermittelbar. Und genau das wirft mir meine Tochter vor. Sie kann natürlich diese Situation nicht wirklich erfassen, so glaube ich zumindest, aber sie meint, ich müsse mich besser verkaufen, müsse aggressiver sein und mir meines Wertes stärker bewusst sein. Aber das ist schwer, wenn man selber nicht sehr davon überzeugt ist. Früher, da war unsere Tochter ein liebes kleines Mädchen. Die Nachbarn, die Freunde sprachen uns immer wieder darauf an, wie nett, wie gehorsam und freundlich, wie wohlerzogen und begabt unsere Tochter doch sei, und wir waren sehr stolz auf sie. Nun, in der Pubertät, ist das alles plötzlich so vollkommen anders geworden, manchmal haben wir das Gefühl, als ob unsere Tochter ausgetauscht worden sei, und das verbessert unsere Beziehung natürlich nicht gerade. Wenn sie nur ein bisschen friedlicher wäre!"

Bildanalyse: „Ich bin nicht das Abziehbild meiner Mutter!"

Mit energischen Griffen schnitt Anna die Figur aus doppeltem Papier aus. Als sie beide nebeneinander auf dunklem Untergrund aufklebte, konnte sie sich lange nicht entscheiden, welche der Figuren die Mutter und welche sie sein sollte. Schließlich meinte sie: „Das ist genau das Problem. Ich will nicht wie meine Mutter sein, und doch bin ich ihr wahrscheinlich irgendwo ähnlich." Dann malte sie der rechten Figur sehr zügig ein Gesicht und erklärte: „Das ist der Unterschied: Ich sehe und rede oder schweige, meine Mutter sieht nicht wirklich, und sie jammert und klagt." Interessant an dem Bild ist, dass die Unterschiede zwischen den sehr ähnlichen Figuren dadurch, dass sie nebeneinander stehen, deutlicher hervortreten. Der linke Arm Annas dominiert ihre Figur. Die unbewusste, fühlende Seite hat bei Anna prägende Bedeutung, während bei der Mutter der rechten dieses Gewicht beikommt. Bewusst erhebt sie den Zeigefinger, während die unbewusste Seite in Gestalt des linken Arms unentwickelt und vor allem unbewegt ist. Verstärkt wird dieser Eindruck noch durch das Kleid, das dem Arm weniger Spielraum ermöglicht als ihrer Tochter, die sich auf dieser Seite Ärmellosigkeit zugesteht. Trotz augenfälliger Ähnlichkeit bestehen in den entscheidenden Dingen also doch Unterschiede.

Anna scheint sich über das Ausgestalten des Bildes selbst zum Leben erweckt zu haben und die „Hülle" der Mutter hinter sich zu lassen. Den Dingen klar ins Auge zu schauen, zur rechten Zeit zu reden und zu schweigen, das ist eine Ich-Leistung, die Ziel einer erfolgreichen Bewältigung der Pubertät sein kann. Dazu gehört, zum richtigen Zeitpunkt „ja" oder „nein" zu sagen, was einen inneren Klärungs- und Entscheidungsprozess voraussetzt. Anna ist auf diesem Weg, wenn es dabei auch immer wieder zu viel Reibung mit der Mutter kommen muss. Damit verhindert sie, sich zum Gleichschritt verführen zu lassen, was einer psychischen Stagnation und damit einem Verrat am eigenen Ich und seiner Entwicklung gleichkäme.

Gibt es psychologische Erklärungsmodelle für das Erleben von Annas Eltern, ihrer Neigung zu einer depressiv gefärbten Vermeidungshaltung?

Die Kindheit von Annas Mutter wurde von der Dominanz eines autoritären, jähzornigen Vaters bestimmt. Er tyrannisierte und erschreckte die Familie mit plötzlichen Wutausbrüchen, die nicht selten auch zu willkürlicher körperlicher Züchtigung führten. Annas Mutter wurde von der ständigen Angst vor plötzlicher Gewalt beherrscht. Sie versuchte, sich so unscheinbar wie möglich zu machen, um dem Vater keinen Grund für sein ausschreitendes Verhalten zu geben. Aber selbst das fruchtete wenig, denn die ängstliche Unterwürfigkeit erregte erst recht die Wut des Vaters, so dass Annas Mutter völlig orientierungslos wurde. Sie zog den Schluss, dass sie in jedem Fall mit Gewalt und Willkür rechnen müsse, weil sie als Person einfach nicht „richtig" war. Ihre Mutter wagte nicht, dem einzigen Kind die Stange zu halten. Sie verstärkte vielmehr Angst und Unsicherheit, indem sie bei jeder noch so kleinen Verfehlung nicht nur auf die Strafe des Vaters, sondern auch auf jene Gottes verwies.

So wurde Annas Mutter im wahrsten Sinne des Wortes in der Furcht des Herrn erzogen und musste sich als Überlebensstrategie die Vermeidung von Gewissens- und Strafängsten zur Richtschnur machen, um sich nicht in unlösbare innerpsychische Konflikte zu verwickeln. Edel, hilfsbereit und gut zu sein wurde Pflicht, die Vermeidung von „bösen" Aggressionen einziges Ziel überkritischer Selbstbeobachtung.

Es dauerte lange, bis Annas Mutter den Schritt in die Partnerschaft wagte. Mit ihrem weichen, unsicheren, ihr treu ergebenen Mann suchte sie sich bewusst ein Gegenbild zum herrschsüchtigen Vater. In aller Sanftmut gelang es ihr, über depressive Verstimmungen und Selbstvorwürfe, über Ängste und Selbstzweifel ihren Mann als Trostspender an sich zu binden. Damit herrschte sie, zwar mit umgekehrten

Mitteln, aber ähnlich ausschließlich wie ihr Vater. Indem ihr Mann alles für sie tat, sie in ihren schwierigen Stimmungslagen stets auffing, sie ermutigte und damit entlastete, konnte er für sich angesichts dieser offensichtlichen Unentbehrlichkeit ein Stück Selbstwertgefühl aufbauen. Auf der anderen Seite blieb Annas Mutter gerade durch diese Hilfestellung in ihrer infantilen Abhängigkeit gebunden und versäumte damit die Entwicklungschance zu Eigenständigkeit und innerer Unabhängigkeit. Leben und Überleben blieb auf diese symbiotisch anmutende Weise an den Partner und seine Präsenz geknüpft. Angesichts dieses Lebenskonzepts war auch die Meinung anderer Leute sehr wichtig. Ein rechtes und gerechtes Leben, mit Blick auf die Umwelt, aber immer auch hinsichtlich einer strafenden göttlichen Instanz, bestimmte den Sinn des Lebens.

Als sich nach langer Wartezeit ein Kind einstellte, konzentrierte sich Annas Mutter darauf, alles richtig zu machen. Ihr ganzes Leben drehte sich jetzt um die Aufgabe, alle Bedürfnisse eines kleinen und heranwachsenden Kindes möglichst vollkommen zu befriedigen. Zu diesem Zweck vergrub sie sich in psychologischer Literatur, bemühte sich darum, jedwede pädagogischen Ratschläge zu befolgen, und wurde in ihrer Person, in ihrer Unbefangenheit, spontan zu handeln, immer mehr verunsichert.

Angesichts der harmonischen Entwicklung Annas in den ersten Lebensjahren und der positiven Resonanz der Umwelt fühlten sich Annas Eltern zunächst sehr bestätigt. Sie fühlten sich in einer zunehmend gewährenden Erziehungshaltung bestärkt, deren Basis allerdings die Befriedigung eigener unbefriedigter Bedürfnisse der Kindheit bildete, denn auch der Vater hatte eine sehr genussfeindliche Erziehung erlebt. Anna bekam im Übermaß das, was die Eltern selbst gebraucht hätten. Vor allem die Mutter fühlte sich zunehmend unfähig, den Ansprüchen und Wünschen der Tochter Grenzen zu setzen, wobei deren Maßlosigkeit die Bedürftigkeit der Mutter widerspiegelte. So wurde es für Mutter wie Tochter immer schwieriger, eigenes Erleben von dem des anderen zu unterscheiden, weil das Maß nicht mehr von der Realität des Kindes, sondern von der Not der Mutter bestimmt war. Dadurch verwischten die Grenzen zwangs- läufig immer stärker, was Anna wütend und verzweifelt aus- drückt, wenn sie sagt: „Ich bin nicht das Abziehbild meiner Mutter." Vielleicht musste das Mädchen zu einer „kleinen Tyrannin" werden, um Unterscheidung und Abgrenzung da zu erzwingen, wo sie sich als natürlicher Entwicklungs- prozess nicht einstellen wollten.

Auf diese Weise konnte Anna allerdings kein eigenstän- diges Ich entwickeln. Sie blieb, ob in Abhängigkeit oder in Opposition, ausschließlich an die Eltern gebunden, was die altersgemäße Kontaktaufnahme zu Gleichaltrigen zuneh- mend erschwerte. Zwar mit gegenteiliger Akzentsetzung, jedoch in der Wirksamkeit ähnlich wiederholten Annas El- tern die Kindheitserfahrungen von Annas Mutter: Schloss sich Annas Großmutter aus Unsicherheit der autoritären Lebensmaxime ihres Mannes an und verstärkte damit sein rücksichtsloses, autoritäres Agieren, wurde die permissive Haltung von Annas Mutter durch das mangelnde Profil des Ehemanns unterstützt, wodurch sich die negative Einseitig- keit ihrer mütterlichen Haltung ähnlich potenzierte wie die väterliche in ihrer Ursprungsfamilie.

Auf diesem Hintergrund fehlte Anna wie der Mutter die Halt gebende Erfahrung zweier sich unterscheidender El- ternteile, die beiden die Möglichkeit gegeben hätte, sich als ein drittes, eigenständiges Wesen zu begreifen. Diese Erfah- rung wiederum bildet die Voraussetzung dafür, ein über eine Zweierbeziehung hinausgehendes Kontakt- und Beziehungs- verhalten zu entwickeln. Das Fehlen dieser Möglichkeit er- zeugte in Anna die gleichen Ängste vor Autonomie wie da- mals bei der Mutter, nur dass Anna versuchte, sie kontra- phobisch zu bewältigen nach dem Motto: „Angriff ist die beste Verteidigung." Damit entwickelte sie ein „falsches Selbst", das nur über Opposition und Aggression Autonomie

demonstrieren konnte. Wirklich belastbar war diese Schein-
stärke natürlich nicht. In der Pubertät wurde der Mangel an
sozialer Sicherheit, an Takt und Feingefühl im Umgang mit
Gleichaltrigen vermehrt zur Ursache von Konflikten, die
Anna veranlassten, Hilfe suchend die Unterstützung der Eltern einzuklagen. Gleichzeitig musste sie sich jedoch gegen
deren Hinweise auf Anpassung aggressiv verwahren, was die
Depressionen der Mutter verstärkte, den Vater sekundie-
rend zu moralisierender Ermahnung veranlasste und Anna
in eine Mischung aus Wut und Verzweiflung stürzte. In der
Folge verstärkten sich auch bei Anna Schuldängste und
Selbstvorwürfe, so dass sich bei ihr in der Pubertät als einer
Zeit vermehrter Reflexionsbereitschaft hinter der aggressiven Fassade ebenfalls depressive Verstimmungen ausbrei-
teten, die wiederum die Nähe zur Mutter verlangten. Mutter
und Tochter im gleichen Leid vereint, und das trotz einer
äußerlich vollkommen unterschiedlichen Kindheit! Eine
Wiederholungssituation, die weder für Anna noch für die
Eltern in ihrer subjektiven Krisenzeit positive Entwick-
lungsangebote in sich zu bergen scheint. Jeder Beteiligte in
dem Familiendrama ist in seiner Rolle wie festgeschrieben
und vertieft diese durch sein Verhalten täglich neu. In Verzweiflung, Aggression und Schuldgefühl, in Depression und
Angst verhakt man sich immer stärker ineinander. Auf
diese Weise schafft man zwar ein Bollwerk gegen Ängste
vor äußerer Bedrohung, verhindert jedoch gleichzeitig die
anstehende Entwicklungsaufgabe, Individualität zu leben,
eigenständig zu werden, sich dem Wagnis eines eigenen
Weges zu stellen.

So verständlich Wünsche nach Gemeinsamkeit, die in
Annas Familie in der Zerrform gelebt werden, gerade in den
Krisenzeiten von Pubertät und Wechseljahren sind, so un-
erfüllbar sind sie. In beiden Entwicklungsabschnitten geht
es um eine neue Standortbestimmung, die nur in der Unterscheidung und Abgrenzung gefunden werden kann. Das bedeutet nicht Entfremdung, sondern Abschied von illusionä-

rer oder realer bisheriger Übereinstimmung. Diese Erkenntnis fordert Konzentration auf die eigene Person, fordert Selbstbehauptung und zwingt zur Bereitschaft, sich als Individuum zu sehen und zu artikulieren. Genau das tut Anna, wenn auch nicht immer bewusst, und sie wünscht sich dies in gleicher Eigenständigkeit von ihren Eltern. Diese, in ihrer Angst vor Konflikten und der Sorge, sich nicht behaupten zu können, ziehen sich eher leidend zurück, wodurch die Grenzüberschreitungen der Tochter noch demonstrativer werden, gerade weil sie eigentlich aktiv und energisch in ihre Grenzen der Andersartigkeit verwiesen werden will. Das geht nicht ohne Kampf.

Autonomie und Abhängigkeit – Lust und Last der Opferrolle

„Ich will nur machen, was ich will –
warum zeigt mir niemand meinen Weg?"
(Alexander, 15 Jahre)

Der 15-jährige Alexander, ein Einzelkind, wirkt mit seiner schmächtigen Figur und der runden Brille deutlich jünger. Seine Sweatshirts sind meist fleckig, als wäre er gerade vom Mittagstisch aufgesprungen. Ein Kontrast dazu ist seine tiefe Stimme, mit der er sehr prägnant seine Konflikte schildert:

„Ich will endlich machen, was ich will, ich kann selber für mich entscheiden, was für mich gut oder nicht gut ist. Ich will mich nicht nach dem richten, was meine Alten gut für mich finden. Meine Mutter labert sowieso von früh bis Nacht an mich hin, erklärt mir, wie ungesund das Rauchen ist, obwohl sie selber raucht, sagt, wann ich abends zu Hause sein muss, als ob ich noch ein Kleinkind wäre, erklärt mir, dass es wichtig sei, meine Hausaufgaben zu machen, damit ich in der Schule vorwärts komme. Das geht mir alles furchtbar auf den Geist. Das Schlimmste an ihr ist aber ihre

Jammermiene, als ob sie das Leiden Christi persönlich wäre. Einfach zum Abkotzen! Zusätzlich meint sie, ich würde glauben, alles wäre selbstverständlich, was sie täte, und sie bekäme ja sowieso keinen Dank für ihren riesigen Einsatz. Aber was hat sie eigentlich zu tun? Sie hat sich dafür entschieden, ihren Beruf aufzugeben, und nun erwartet sie von mir, dass ich für sie alles bin. Ich denke nicht daran. Sie kann sich schließlich wieder um irgendeinen Job kümmern, aber eigentlich glaube ich, dass sie dazu viel zu bequem ist. Es ist doch auch ganz angenehm, wenn sie mir täglich Vorwürfe machen kann und dadurch beschäftigt ist: sie das arme Opferlamm, ich der böse Junge. Und auf der anderen Seite hätte ich es ja eigentlich gern, wenn sie mir sagen würde, wo es langgeht, denn manchmal weiß ich auch nicht so recht, was ich will. Ich sehe ja ein, dass ich was für die Schule machen sollte, gerade jetzt, wo ich das zweitemal wiederhole. Und es stimmt auch, dass mein Realschulbesuch zu Ende ist, wenn ich es diesmal nicht packe. Aber gleichzeitig habe ich überhaupt keinen Bock, mich hinzusetzen. Warum gibt es keinen Weg, wo man ohne viel Mühe das erreicht, was man in Gottes Namen braucht, um in diesem Scheißleben zurechtzukommen? Mein Vater, der ist sowieso nur so eine Strohpuppe, meine Mutter hat eigentlich das Sagen, und nur ab und zu, wenn sie ihm wieder vorjammert, wie unmöglich ich bin, dass ich nicht tue, was sie will, dann meint er, er müsste ein Donnerwetter loslassen. Aber da lache ich ihm einfach ins Gesicht. Ich möchte einerseits machen, was ich will, ich möchte andererseits autonom sein, ich möchte mich nicht bestimmen lassen und wünsche mir gleichzeitig jemanden, der mir zeigt, wo es langgeht."

Alexander möchte das eine haben und das andere nicht lassen. So gerät er in eine Zwickmühle, in der er leidet und leiden lässt.

„Alles, was ich tue, ist selbstverständlich!"
(Alexanders Mutter, 51 Jahre)

Alexanders Mutter, 51 Jahre, ist eine kleine, etwas untersetzte Erscheinung, die offensichtlich wenig Wert auf ihr Äußeres legt. In ihrer Haltung wirkt sie erschöpft und hoffnungslos, was sie älter erscheinen lässt. Mit hoher, leid- und vorwurfsvoller Stimme klagt sie:

„Ich weiß nicht mehr, wie ich mich meinem Sohn gegenüber durchsetzen kann. Er tut nur noch, was er will, und das heißt: spät aufstehen, sich nicht waschen und möglichst im Schlafanzug im Internet surfen. Wenn ich ihn ermahne, beschimpft er mich mit den unflätigsten Ausdrücken, die ich gar nicht in den Mund nehmen kann. Erinnere ich ihn an Schulpflichten – das Gleiche. Tagelang geht er nicht zur Schule. Er isst hauptsächlich Süßigkeiten oder Döner an irgendeinem Stand – was ich koche, sei ein einziger Fraß. Nur rauchen, das tut er am liebsten zu Hause. Wir haben ihm verboten, es im Zimmer zu tun, aber er hält sich nicht daran. Wenn es mir nur besser ginge! Ich fühle mich völlig erschöpft und ausgelaugt. Meinen Beruf, ich war Fremdsprachenkorrespondentin und Übersetzerin, habe ich wegen Alexander aufgegeben. Das bedauere ich heute. Aber wir dachten damals, wenn wir schon ältere Eltern sind, müssen wir alles für unser Kind tun. Früher habe ich noch ab und zu beruflich ausgeholfen, aber das schaffe ich nicht mehr. Ich habe selbst das Gefühl, dass ich keine Kraft mehr habe. Ob das an den Wechseljahren liegt? Nachts schlafe ich schon lange nicht mehr richtig. Ich müsste eigentlich das Rauchen aufgeben, aber ich kann mich nicht dazu aufraffen. Die Zukunft schreckt mich. Wie wird es mit Alexander, wie mit mir weitergehen? Oft grübele ich darüber nach, wie ich ihn besser motivieren könnte, wie ich als gute Mutter besser zu reagieren hätte. Gleichzeitig stelle ich fest, dass er, je mehr ich mich anstrenge, umso weniger macht. Ich bin am Ende und weiß auch für mich keinen Ausweg!"

Im Gespräch wird deutlich, dass es Alexanders Mutter schwer fällt, dem Sohn seine eigenen Aufgaben zu überlassen. Sie hat das Bedürfnis, selbst da ständig zu kontrollieren und Verantwortung zu übernehmen, wo es eigentlich der Sohn tun sollte. Insofern wird verständlich, dass Alexander den Einsatz seiner Mutter im Wesentlichen als einen für sie notwendigen einstuft. So entsteht die absurde Gefühlssituation, dass er gegen alle Rationalität überzeugt ist, dass die Schule und die Forderungen, die das Leben an ihn als 15-Jährigen stellt, eigentlich weit mehr Problem und Aufgabe der Mutter seien.

Bildanalyse: „Meine Mutter labert von früh bis spät."

Alexander malte sein Bild äußerlich ruhig, aber in spürbarer innerer Erregung. Zunächst entstand im rechten oberen Bereich das Gesicht der Mutter, im Wesentlichen charakterisiert durch die geschwärzte Augenpartie und den wie durchgestrichenen Mund. In dieser Darstellung erscheint die Mutter fern und wenig greifbar, eher als bedrohliche Täterin, was durch die Selbstdarstellung Alexanders noch unterstrichen wird: Das Auge angstvoll geweitet, die Schramme unter der Augenbraue, das von der Nase tropfende Blut zeigt ein hilfloses, der Willkür ausgesetztes Opfer! Der große Mund hat zwar zwei Reihen spitzer Zähne, doch sie sind fest zusammengebissen, nur einer ragt, einem Stachel ähnlich, wie zufällig aus dem Mund. Zum Schluss schraffiert Alexander das Gesicht, als wolle er es durchstreichen. Heißt das, dass er auch sich selbst auslöschen will?

Das Bild zeigt deutlicher noch als die verbale Aussage, wie sehr Mutter und Sohn sich in eine Täter-Opfer-Situation verbissen haben, wobei es offensichtlich immer wieder eine Verlagerung des Schwerpunktes gibt: mal ist die Mutter, mal der Sohn Opfer des wechselseitigen Machtanspruchs. Die Rolle des Täters wird wie ein ungeliebter „Schwarzer Peter" hin- und hergeschoben. Die Interaktion zwischen Mutter und Sohn gleicht der Bewegung einer Wippe auf dem Kinderspielplatz. So kommen beide nie zueinander, aber auch nicht auseinander.

Der Hintergrund der aufgeladenen und gleichzeitig von erschöpften und resignierten Gefühlen bestimmten familiären Atmosphäre ist folgender: Alexanders Mutter ist gebürtige Donauschwäbin. Sie lebt zwar seit ihrem zwölften Lebensjahr in Deutschland, empfindet sich jedoch bis heute aufgrund der frühen Fremdheitserlebnisse als stigmatisiert. Ihre Sprachkenntnisse konnte sie vor der Geburt Alexanders beruflich nutzen, trotzdem betrachtete sie diese Fähigkeiten nicht als einen besonderen, sie heraushebenden Wert, sondern als Ausdruck ihrer inneren Heimatlosigkeit. Ihre Kindheit war überschattet von einer hochgradig hysterischen Mutter, die bedrohliche oder tragische künftige Entwicklungen im Voraus zu ahnen vorgab und als Ausdruck ihrer prophetischer Schau als unabwendbares Schicksal ausgab. Dies wirkte sich besonders negativ auf den Sohn, den jüngeren Bruder von Alexanders Mutter, aus. Ihm fiel die Rolle des Versagers, des Asozialen zu, nachdem er in seiner Schullaufbahn gescheitert war, sich in verschiedenen Jobs erfolglos versucht hatte, nach Drogenexzessen nach Australien ausgewandert war und seitdem verschollen ist.

Für Alexanders Mutter blieb die Rolle des „braven Mädchens" übrig. Sie galt in den Augen der Mutter immer als die Unansehnliche, die es kaum wert war, wahrgenommen zu werden. Sie müsse froh sein, wenn sie „je einen Mann fände" – so die Mutter. Dieses Urteil übernahm Alexanders Mutter wie selbstverständlich als absolute Wahrheit, umso mehr, als der Vater nie besonders in Erscheinung trat. Er sei russischer Abstammung gewesen, habe sich in Deutschland nie heimisch gefühlt und sich „mehr oder weniger hinter dem Fernseher verkrochen". So konnte er die entwertende Haltung der Mutter nicht über Lob, Anerkennung und Bestätigung ausgleichen, sondern unterstützte vielmehr mit seiner Passivität das negative Selbstbild der Tochter.

In der Konsequenz stand die Gestaltung ihres Lebens bei Alexanders Mutter unter hohem Leistungsdruck. Nur über ein hundertprozentiges Pflichtbewusstsein und ebenso große Lustfeindlichkeit glaubte sie, ein Recht auf Existenz zu haben. Sie absolvierte die Schule ohne große Auffälligkeiten und war immer eine durchschnittliche, angepasste Schülerin. Dann erlernte sie ohne große Begeisterung den Beruf der Fremdsprachenkorrespondentin und Übersetzerin, was sich angesichts ihrer Herkunft und ihrer russischen und ungarischen Sprachkenntnisse wie von selbst anbot. Ihrer Berufstätigkeit kam sie stets zuverlässig und gleichzeitig unauffällig nach. Eingedenk der Warnung der Mutter, dass Bindungen an Männer nur Unglück brächten, heiratete sie spät einen biederen Schwaben, einen Beamten in gesicherter Position. Dieser war extrem pflichtbewusst, streckenweise fast zwanghaft, ein Gegentyp zum Bruder. Damit versprach die Zukunft sicher zu sein, Ängste vor dem Alleinsein in einer feindlichen Welt schienen gebannt.

Die Geburt eines Sohnes war für sie, die sich dringend ein Mädchen gewünscht hatte, „ein Schock". Von Anfang an befürchtete sie, dass sich das Schicksal des Bruders wiederholen könne und der mütterliche Glaubenssatz, dass Männer nichts taugten, sich damit bestätigte. Die früh einsetzenden Auffälligkeiten des Jungen – eine verzögerte motorische und schleppende Sprachentwicklung – intensivierten die negative Erwartungshaltung, aber auch Affekte, für die sich der Ehemann als Ventil anbot: Auf der einen Seite beklagte sie sich über seine fehlende Präsenz, brachte er sich jedoch in die Fürsorge ein, entwertete sie seine Versuche mit dem Hinweis, er möge sich doch lieber um seine Sachen kümmern, dort sei er kompetent, die Rolle der Mutter habe sie übernommen und dafür ihre Berufstätigkeit geopfert. Zog sich Alexanders Vater – nicht ungern – zurück, warf sie ihm sein Übermaß an Pflichtbewusstsein seiner Arbeit gegenüber erneut vor. Aggression und Schuldgefühl, depressiver Rückzug und leidende Vorwurfshaltung dominierten die Interaktion zwischen den Partnern und zogen zunehmend auch Alexander in diesen ausweglosen Mechanismus hinein.

Um weitere fruchtlose Konfrontationen und Auseinandersetzungen zu vermeiden, dehnte Alexanders Vater seine Berufstätigkeit so lange wie möglich aus. Zuhause verstummte er weitgehend, um Vorwürfen auszuweichen, kündigte damit aber auch weitgehend seine väterliche Zuständigkeit auf. Alexanders Mutter erlebte diese Situation als leidvolle Wiederholung ihrer eigenen Kindheitserfahrungen mit dem Ergebnis, dass sie sich erneut einsam und verlassen fühlte. Im Bemühen, sich am eigenen Schopfe aus dem depressiven Sumpf zu ziehen, setzte sie alles daran, den gefährdeten Sohn mit Hilfe von Ermahnungen und Hinweisen zu fordern und zu fördern. Dieser pausenlose Einsatz, der das Ziel verfolgte, der Erziehungsaufgabe so perfekt wie möglich nachzukommen, diente vor allem der Kompensation eigener Minderwertigkeitsgefühle: „Ich wollte mir nicht den

Vorwurf machen lassen, nicht alles Erdenkliche für meinen Sohn getan zu haben." In dieser verneinenden Satzkonstruktion zeigt sich bereits die dunkle Kehrseite: Unbewusst sah sie in Alexander die Wiederholung des brüderlichen Modells und hatte ihn in Identifikation mit den mütterlichen Glaubenssätzen und in der Gewissheit, dass aus ihm nichts werden würde, innerlich bald abgeschrieben. So vollzog sich die Gesetzmäßigkeit einer sich selbst erfüllenden Prophezeiung. Damit verharrte Alexanders Mutter in der inneren Übereinstimmung mit ihrer Mutter. Indem sie vermied, das negative Mutterbild, das sie längst verinnerlicht hatte, zu klären, blieb sie in einer unentwickelten, unkritischen Ich-Identität gefangen. Weil der Weg einer aktiven Selbstbehauptung aufgrund von Ängsten und Schuldgefühlen versperrt war, blieb nur der von zwiespältigen Empfindungen geprägte Einsatz für den Sohn. Angesichts des Misserfolges und seiner fehlenden Dankbarkeit musste sie sich als missbrauchtes Opfer fühlen, womit die mütterlichen Emotionen zur depressiv getönten Resignation zurückkehrten.

Alexander seinerseits erreichte mit seiner durchgängigen Vermeidungshaltung einen doppelten Effekt: Einerseits reagierte er auf die unbewusste Botschaft der Mutter, wie der Onkel zu sein, mit dem entsprechenden Verhalten und konnte so jegliche Schuld von sich weisen: „Wenn sie mich nicht immer nerven würde, könnte ich ganz anders sein." Andererseits steht für ihn als pubertierenden Jugendlichen die Auseinandersetzung mit dem Vater an. Mit seiner demonstrativen, weitgehenden Passivität kann er sich vom aktiven Vater unterscheiden: Strukturiert der Vater seinen Arbeitstag minutengenau, ist Alexander schlampig und nachlässig. Ist jener verlässlich und bemüht, lebt Alexander in den Tag hinein. Ist der Vater korrekt und pflichtbewusst, ist Alexander lässig und träge. Damit distanziert sich Alexander zwar vom Vater, ohne jedoch einen Zugewinn an Stärke und Identität zu verbuchen. So muss die

Mutter immer neu zum ausschließlichen Ansprechpartner werden. Gleichzeitig darf sie jedoch weder erfolgreich noch vorbildlich sein, damit das Gefühl jugendlicher Schein-überlegenheit aufrecht erhalten werden kann.

Die Familiendynamik erstarrt auf diese Weise immer mehr im fruchtlosen Stellungskrieg, der durch die Krisen-zeiten von Pubertät und Wechseljahren noch verstärkt wird. Depression und unterschwellige Aggression, Scham und Ver-zweiflung – es ist bei Alexanders Mutter die Tragik einer Wiederbelebung negativer früher Erfahrungen: Jeglicher Einsatz scheint vergeblich, nie wird die positive Bestätigung des Eigenwertes erfahren. Muss man sich angesichts dieser Enttäuschung im Leben nicht als Opfer fühlen, um wenigs-tens über diesen Status einen, wenn auch fragwürdigen, Wert zu gewinnen?

Es gibt manche Mütter, die in ähnlichem, falschverstan-denem Überengagement unter dem Eindruck stehen, sich mit all ihrem Einsatz für ihr(e) Kind(er) opfern zu müssen und dass dieses Opfer in einer gewissen Selbstverständlich-keit auch von der Umwelt erwartet würde. Häufig spüren jedoch Kinder unterschwellig, dass es für die Mutter ein Stück Lebensinhalt bedeutet, sich als Opfer der Situation und des familiären Überanspruchs zu fühlen, um dadurch zwar in einer verzerrten, aber doch wirksamen Weise einen Wert zu gewinnen, den sie sich auf andere Art nicht zuge-stehen können. Hinsichtlich der Umwelt, speziell bei Kin-dern, erzeugt diese Haltung, wenn sie für die Mutter auch noch so identitätsstiftend ist, Schuldgefühle, die dann in Abhängigkeit binden und autonome Schritte verhindern. Ist es nicht eine ähnliche Botschaft, die das Märchen von „Hänsel und Gretel" vermittelt, wenn Hänsel im Käfig sitzt, also symbolisch gesprochen seine Autonomie verloren hat? Er ist abhängig von den sorgenden, ihn jedoch gleichzeitig mästenden Angeboten einer Mutter, die selbständige Schrit-te des Sohnes nicht wirklich aushält, weil sie ihn „zum Fressen gern" hat. Passiv, unbeweglich werden, vor allem in seelischer Hinsicht, keine Eigenständigkeit erproben, das ist Alexanders Problem im Angesicht einer ihm alle Selbstverantwortung abnehmenden Mutter.

Der Wunsch nach äußerer Schönheit –
Die Angst, nicht mehr gesehen zu werden

„Spieglein, Spieglein an der Wand ..." (Patricia, 13 Jahre)
Patricia, ein 13-jähriges Mädchen, beeindruckt durch ihr reizvolles Aussehen: dunkle lange Haare, blitzende schwarze Augen, eine wohlproportionierte Figur und eine Haltung, die sehr deutlich verrät: Ich will gesehen und schön gefunden werden!

Patricia ist sich mit ihren 13 Jahren ihrer Wirkung durchaus bewusst und weiß sie durch Schminke deutlich zu unterstreichen, vor allem betont sie damit sehr geschickt ihre ausdrucksvollen Augen. Sie verbringt täglich manche Stunde vor dem Spiegel, um ihr Aussehen kritisch zu betrachten, und befragt ihn wie die Königin im Märchen von „Schneewittchen". Hinter dieser Frage lauert jedoch immer auch die Angst, ob sie wirklich schön oder womöglich doch in einem Irrtum befangen und eigentlich furchtbar hässlich sei. Das zumindest vermittelt ihr immer wieder ihr achtjähriger Bruder, mit dem sie heftige Auseinandersetzungen hat und der auf seine Weise die schwesterliche Überlegenheit erfolgreich relativiert, indem er ihr immer wieder sagt, sie sei „grottenhässlich". Wenn er erwachsen wäre, würde er sie nie im Leben heiraten. Schließlich kenne er viele Mädchen, Schwestern seiner Freunde vorzugsweise, die tausendmal schöner seien als sie. Das trifft, auch wenn der kleine Bruder ein „dummer kleiner Pimpf, ein kleiner Hosenscheißer" ist, den man nicht für voll nehmen kann.

„Ich möchte im Mittelpunkt stehen, ich möchte von allen super gefunden werden, jeder soll mich bewundern, das ist insgeheim mein größter Wunsch!", so Patricia im Gespräch. Der Anspruch, etwas Besonderes zu sein, spiegelt sich auch in der Beziehung zu ihrer Mutter: Es gibt laufend lautstarke Auseinandersetzungen, vor allem, wenn Patricia von der Mutter in ihre Grenzen verwiesen wird. Das kann das Zuviel an Schminke ebenso sein wie die eigenwillige Blockade des gemeinsamen Badezimmers am Morgen, das Überschreiten der großzügig bemessenen abendlichen Ausgehzeit wie die rücksichtslosen Tätlichkeiten dem kleinen Bruder gegenüber. Einschränkungen der subjektiv gewünschten Freiheit beantwortet Patricia mit Willkür, wobei es neben den aggressiven Ausfällen genauso plötzlich zu depressiven Zusammenbrüchen kommen kann.

Trotz ihrer dekorativen Aufmachung scheut Patricia im Bedarfsfall auch vor Tätlichkeiten nicht zurück. Sie erklärt sehr freimütig, dass sie sich auch in der Schule mit Schlägen durchsetzt. Bevorzugtes Ventil, um die durch die pubertären Stimmungsschwankungen verstärkte Aggressivität abzureagieren, ist der kleine Bruder, der es aber auch herausfordern würde: „Und dann meine Mutter! Wie eine Furie geht sie auf mich los: Was hast du schon wieder mit deinem kleinen Bruder gemacht? Und der weiß natürlich genau, wie er sich retten kann, der brüllt immer schon im Voraus, bevor ich überhaupt etwas getan habe. Aber dann kriegt er es natürlich erst recht von mir ab, und meine Mutter, wie ein aufgescheuchtes Huhn, ergreift immer für ihn Partei, und das ärgert mich so, dass ich nur wild um mich schlagen könnte. Ob mich meine Mutter mag – ich glaube schon. Manchmal meint sie zwar, dass ich ein Kuckucksei wäre und sie diese Pubertät noch ins Grab brächte, aber dann sagt sie auch, dass sie und ich, wir beide, das gleiche Temperament hätten. Sie kann nämlich auch ganz schön herumschreien. Hinterher meint sie, das läge an den Wechseljahren, sie würde nicht die Krise kriegen, sie hätte sie schon. Aber schließlich ist sie die Mutter. Warum soll immer nur ich mich zusammennehmen?"

„Und welcher Spiegel spiegelt mich?"
(Patricias Mutter, 48 Jahre)

Patricias Mutter ist eine frisch und sportlich wirkende, sehr attraktive, jünger erscheinende Frau, die sehr freimütig äußert: „Ich hätte mich in meiner Pubertät bei meiner Mutter nie so verhalten dürfen. Wenn ich so ausfallend und aggressiv gewesen wäre wie Patricia, ich weiß nicht, was ich für Strafen bekommen hätte. Zumindest hätte meine Mutter die Beziehung innerlich gekündigt und wäre tagelang beleidigt gewesen. Das konnte sie sowieso sehr gut. Meine Mutter ist für mich bis heute noch ein Problem, ich habe es einfach schwer, mich ihr gegenüber abzugrenzen und mich gegen sie durchzusetzen. Sie ist eine sehr dominante Frau, was sie mit erstickender Fürsorge kaschiert. Ich fühle mich dann schuldig, weil sie es ja eigentlich so gut meint und ich mich zur Dankbarkeit ihr gegenüber verpflichtet fühle. Es hat lange gebraucht, bis ich ihre untergründige Herrschsucht erkannt habe. Da sehe ich Parallelen zu meiner Tochter, obwohl mir klar ist, dass Patricia nicht wirklich herrisch ist. Sie will vielleicht weniger mich als sich selbst bestimmen, und ich lerne erst schrittweise, mich nicht sofort zu unterwerfen. Meine Tochter erinnert mich oft an meine Mutter, aber mir ist klar, dass es bei Patricia nicht Herrschsucht ist, sondern der Versuch, den eigenen Weg zu finden. Sie ist im Grunde für mich beinahe Lehrmeisterin darin, einer Mutter standzuhalten. Aus dieser Sicht muss ich meiner Tochter manchmal dankbar sein, selbst wenn es in der Situation schwer fällt, denn sie ist schon maß- und grenzenlos in ihrer aggressiven und streckenweise auch tätlichen Selbstbehauptung. Natürlich neigt man dann als Mutter dazu, den scheinbar Schwächeren zu schützen, obwohl ich weiß, dass unser Sohn sich sehr wohl seiner Schwester gegenüber durchsetzen kann und sie auf seine Weise immer wieder ärgert und provoziert. Aber das ist bei mir wie ein Mechanismus, gegen den ich mich schwer wehren kann. Ich meine, sie müsste als Ältere und Stärkere Rücksicht nehmen und Einfühlung und Verständnis zeigen. Es fällt mir auf, dass ich selbst in die Wechseljahre kommen musste, um diese ungeklärte Beziehung zu meiner Mutter wie in einem Umkehrspiegel zu erkennen. Manchmal wünschte ich mir die Energie meiner Tochter, um meine Mutter, die mit ihren 80 Jahren noch so unglaublich vital ist, in ihre Grenzen zu weisen. Aber oft verlässt mich der Mut, das zu tun, was ich für richtig erkannt habe. Und dann kommt die Angst, bereits zu alt zu sein, um Entscheidendes zu klären und zu lösen. Da bin ich dann neidisch auf meine Tochter und gleichzeitig verzweifelt, weil ich mich, auch wenn man es äußerlich vielleicht nicht so sieht, auf dem absteigenden Ast fühle. Manchmal habe ich das völlig verrückte Bedürfnis, mir die gleichen Sachen wie meine Tochter zu kaufen, die gleiche Musik zu hören und damit das Rad der Zeit zurückzudrehen. Gleichzeitig weiß ich, dass das absurd ist, und so liege ich oft nachts lange wach und denke über meine verpassten Möglichkeiten, mich selbst zu finden, nach. Meine Berufstätigkeit wieder aufzunehmen – ich war Sozialpädagogin – kann ich mir nicht vorstellen. Irgendwie habe ich zu lange pausiert. Gleichzeitig weiß ich, dass mir irgend etwas jenseits der Kinder gut täte. Aber wo führt mein Weg hin?"

Patricias Lieblingsmärchen ist nicht umsonst „Schneewittchen". Das zentrale Thema in diesem Märchen ist das notwendige Selbständigwerden von Schneewittchen, aber ebenso die Problematik einer Mutter, die sich mit der Tochter rivalisierend auf die gleiche Stufe stellt und die Überlegenheit ihrer Tochter nicht ertragen kann. „Schön" ist in diesem Zusammenhang nur eine Chiffre für die größere Bedeutung, die schrittweise der nächsten Generation zukommt. In der Urfassung der Grimmschen Märchen ist es tatsächlich die gleiche Mutter (und nicht eine Stiefmutter), die sich zunächst so dringend ein schönes Kind wünscht und eben dieses Kind in dem Augenblick, in dem die eigenen Selbstzweifel an der Schwelle zu den Wechseljahren offenbar werden, so gnadenlos verfolgt.

Bildanalyse: „Ich will die Schönste sein!"

Patricia zeigt in der Selbstdarstellung ein Mädchen mit den Formen einer erwachsenen Frau, das gleichzeitig so herausfordernd wirkt, dass nahezu der Eindruck eines Strichmädchens erweckt wird. Das Gesicht ist kindlich, trotz der sinnlichen Formen des Mundes, die Schleife im Haar rührend. Der gesenkte Blick fixiert einen entfernten Punkt, die wenig ausgestalteten Händen, Organe des Greifens und Be-greifens, erscheinen nicht wirklich zugehörig. Kindlich und verführerisch, hilflos und provozierend, verschlossen und offenherzig und dabei auf überhohen Schuhen nur scheinbar trittsicher – ein Abbild hochgradiger Ambivalenz. Das Bild erweckt äußerlich den Eindruck, als ob sich ein Kind in eine sexualisierte, ihm nicht wirklich zugehörige Erwachsenenrolle zwingt, die es aus der emotionalen Balance wirft. Weil echte Reife des Erwachsenseins fehlt, strahlt das Bild auf der Fühlebene Angst, Unsicherheit und Trauer aus.

Das zweite Bild Patricias entstand in großer Ruhe und Konzentration. Liebevoll und detailgenau entwirft sie das Abbild einer stolzen, festlich gekleideten Frau, die sich ihrer Wirkung durchaus bewusst ist. Es gibt Anklänge an das Bild des „leichten Mädchens", doch wenn dort unsicheres Zur-Schau-Stellen im Mittelpunkt steht, drückt sich hier selbstbewusste Würde aus: Der vornehme spanische Kragen, die attraktive Frisur, die prächtige Blüte, die mit dem vollen Mund korrespondiert, all das signalisiert selbstbewusste weibliche Erotik, ohne sich billig anzubieten. Zwar sind die Hände wiederum noch nicht vollkommen ausdifferenziert, aber sie stecken in filigranen Handschuhen, als ob sich ein Stück Sensibilität, auch im Begreifen der eigenen Person, abzeichnen dürfte. Aber noch fehlen die Augen als Organe des Wahrnehmens. Ein Schleier liegt im wahrsten Sinne des Wortes über ihnen und macht ein klares Erfassen der Situation unmöglich, ähnlich wie im Märchen von Schneewittchen, das mit geschlossenen Augen im Glassarg liegt. Die Bedrohung für Schneewittchen lag ja gerade darin, dass es die Gefahr nicht erkannte, die vom Neid einer langsam älter werdenden Mutter ausgeht, die ihre Dominanz nicht aufgeben, sich nicht entthronen lassen will. Aber auch eine Mutter kann eigene Krisensituationen nicht bewältigen, wenn es ihr nicht möglich ist, die eigene Situation zu durchschauen. So kann die Zeichnung auch als Abbild der Mutter verstanden werden, mit dem Patricia absichtslos eine symbolische Botschaft vermittelt: Neid macht blind.

Wie in einem Vorgriff auf die Entwicklungsaufgabe bei Tochter und Mutter schließt Patricia noch ein weiteres Bild an. Sie malt ein einziges Auge, das linke, das symbolisch für den Blick nach innen, für Erkenntnis und Schau steht. Heißt das, dass sich der Blick entschleiern muss, um eine zugrunde liegende Dynamik, um unbewusste und trotzdem wirksame Zusammenhänge zu sehen? Ein klarer Blick schafft die Voraussetzung für Neuorientierung und damit Veränderung.

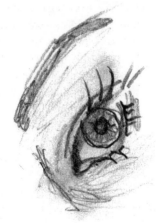

Das Mutter-Tochter-Drama von inniger Liebe und parallel verlaufender Neid- und Rivalitätsthematik ist aber nicht nur das „Leid"motiv zwischen Patricia und ihrer Mutter, sondern ist auch bestimmendes Moment in den weiblichen Beziehungen der älteren Generation. Patricias Mutter ist ein Einzelkind, das vom Vater sehr geliebt und aufgrund ihrer frischen, unbekümmerten Art bewundert wurde. Die

Mutter in ihrer übermäßig sorgenden und damit beherrschenden Art verbarg ihre Kränkung angesichts dieser Hintanstellung auch vor sich selbst, indem sie sich mit dem Bild der nur guten Mutter identifizierte, das jedoch verbunden war mit einem ständigen Besserwissen, was Wohl und Wehe der Tochter anbelangte. Entsprechende Interaktionen zwischen Großmutter und Patricias Mutter während der Pubertät liefen nach folgendem Muster ab: „Ich will mich ja nicht einmischen, aber ...“; „Sei mir nicht böse, aber ...“ – Äußerungen, die den mütterlichen Anspruch auf Überlegenheit nur schlecht verhüllten und Patricias Mutter noch heute zur Weißglut bringen. Selbst als sie erwachsen und berufstätig war, blieb sie für die eigene Mutter immer noch das „Kindchen“, dem man, vor allem, als es dann verheiratet war, in Notsituationen beispringen musste. Nicht ganz unbewusst rivalisierte sie sogar mit der Tochter um deren Mann, Patricias Vater, was Aussprüche dieser und ähnlicher Art unterstrichen: „Wir beide, dein Mann und ich, sind in diesem Punkt einer Meinung.“ Patricias Vater wiederum ließ sich die bewundernde Bemutterung seiner Schwiegermutter gern gefallen und genoss die Situation, von zwei Frauen umworben zu sein. Angesichts der Tatsache, dass die Großmutter durch ihr sorgendes Engagement in der jungen Familie der Tochter immer wieder Freiräume schuf, fühlte sich diese zu Dankbarkeit und Unterordnung verpflichtet. Sie glaubte, sich den Zorn über die heimliche Machtausübung, die rivalisierende Besserwisserei der Mutter, nicht zugestehen zu dürfen.

Als die Kinder größer wurden und sich die Großmutter weiterhin und verstärkt in die Erziehung einmischte, wurden Patricias Mutter die goldverbrämten Fesseln, die ihr die eigene Mutter anlegte, immer bewusster. Ihr Vater, Patricias Großvater, verharrte dagegen im naiven Glauben an die guten Absichten seiner Frau und entzog sich im Übrigen, indem er seinen Pflanzen im Garten alle erdenkliche Pflege angedeihen ließ. Ihr Wachstum und Blühen beobachtete er liebevoll, für das verdeckte Drama zwischen Mutter und Tochter war er blind. So fühlte sich Patricias Mutter von ihm im Stich gelassen, ein Gefühl, das sie zunehmend auch hinsichtlich ihres Ehemanns empfand, der in freundlicher Distanz ihr und ihrer Kindlichkeit die Schuld für die wachsenden Probleme mit der Tochter zuschob. Er selbst sah in den überbordenden Selbstbehauptungsversuchen der Tochter positive und letztlich notwendige Schritte, um eigenständig zu werden und sich von der Mutter abzugrenzen. Die von der Mutter geschilderten aggressiven Auswüchse spielte er herunter: Er als Akademiker, der sich in der Welt auskenne, sei sich klar darüber, dass solche Eigenschaften heute unerlässlich seien, um sich durchzusetzen und in der Leistungsgesellschaft anerkannt zu werden. Seine Erziehungsfunktion beschränkte er auf gelegentliche Unternehmungen, die ihn, spektakulär und aufwändig inszeniert, zum idealen, von den Kindern bewunderten „Sonntagsvater" machten.

Die so souverän erscheinende Haltung aus freundlicher Distanz konnte jedoch für Patricia nicht wirklich positiv und entwicklungsfördernd sein, weil der Vater im ständigen ausgesprochenen und unausgesprochenen Vergleich mit seiner Frau Patricia den Vorrang gab. Damit machte er sie atmosphärisch zu der besseren Ersatzfrau und fixierte sie in einem sie selbst überfordernden, frühreifen „Lolita"-Status. Die Schuldgefühle Patricias gegenüber der Mutter, die sie in der Pubertät auch artikulieren konnte, die Angst vor einer möglichen Rache zwangen immer wieder neu in die naive Unbewusstheit eines „Schneewittchens". Angesichts dieser widerstreitenden Impulse musste sich in zunehmendem Maße eine Reifungsdisharmonie ergeben, die, durch die Pubertät akzentuiert, Patricia noch stärker in die aggressive Provokation drängte. Nur so waren Ängste und Zweifel hinsichtlich der eigenen Identität und Rolle wie auch die Bedrohung durch die ungeklärte Beziehung zu den Eltern aus dem Bewusstsein zu drängen.

Dieses, Patricia ebenso wie die Umwelt belastende Verhalten hatte aber auch einen positiven Aspekt: Mit ihren provozierenden Auseinandersetzungen vermittelte sie der Mutter Reifungsimpulse: Über die bewusste Klärung der aufgeladenen Konfliktsituation mit der Tochter konnte Patricias Mutter die gleichermaßen verführerisch-verwöhnende wie entmachtende Fürsorge der eigenen Mutter erkennen. Diese Einsicht macht es ihr leichter, eigene Schritte zu gehen, um sich von ihrer Mutter zu distanzieren und abzulösen. Weil Entwicklung jedoch selten geradlinig verläuft, musste eine belastende Zwischenstation durchlaufen werden, die auf den ersten Blick wie eine Rückwärtsentwicklung aussah, weil es zwischen Patricia und ihrer Mutter nochmals zu einer dramatischen Eskalation der Spannungen kam: In der aggressiv-rechthaberisch sich gebärdenden Patricia erlebte die Mutter zunächst Züge der eigenen Mutter und bekämpfte an der Tochter, was sie mit der eigenen Mutter nicht auszutragen wagte. Hier, so glaubte sie, konnte sie sich doch als erwachsener Mensch behaupten, wohingegen sie in der Auseinandersetzung mit der Mutter immer erneut fürchtete, auf das „Kindchenschema" reduziert und damit nicht ernst genommen zu werden.

Letztlich gab Patricia über ihre aufsehenerregende pubertäre Entwicklung den Anstoß zur Klärung der Frage nach Wert und Bedeutung als älterer und jüngerer Mensch. In der Tochter erlebte die Mutter einerseits jemanden, der ihr den Weg in die Autonomie wies, auf der anderen Seite wurde ihr im Spiegel der Tochter bewusst, was sie selbst in der Pubertät nicht gewagt hatte. Sich jedoch an die Tochter anzuhängen und über den Gleichschritt etwas nachholen zu wollen, ist keine wirkliche Möglichkeit, es entlastet nur vorübergehend: „Im Grunde waren das T-Shirt und die Jeansjacke, die der Kleidung meiner Tochter ähneln, nur Frustrationskäufe", resümiert Patricias Mutter. Auch wenn es aussieht, als habe sie zu viel Zeit verstreichen lassen, so geht es bei Patricias Mutter darum, die anstehenden Entwicklungsaufgaben einer Verselbständigung und Autonomieentwicklung zu wagen und sich damit ihrerseits töchterlicher Altlasten zu entledigen. Dann kann sich auch Patricia zurücknehmen, befreit von einer sie überfordernden „Vorbildfunktion" ebenso wie von überzogenen Ansprüchen, mit denen sie sich vorzeitig ins Erwachsenenalter katapultiert hatte. Noch in angemessener Weise Kind sein, sich des Verständnisses seitens der Mutter sicher sein, auf ihre Bezogenheit bauen, das kann in der Familiendynamik manches ins Gleichgewicht rücken.

Nähe und Distanz –
Ausweglosigkeit und Schuldgefühle

„Warum bist du nie da, wenn ich dich brauche?" –
„Wehe, du lässt mich nicht in Ruhe!" (Beate, 12 Jahre)
Das sind die Gegensätze, welche das Fühlen und Verhalten der 12-jährigen Beate bestimmen. Sie ist körperlich in der Frühpubertät, ein bisschen pummelig, jedoch keineswegs dick. Auffallend ist eine große Differenziertheit und eine für dieses Alter überraschende Fähigkeit, psychische Abläufe zu reflektieren:

„Immer, wenn ich jemand zum Reden, zum Jammern oder auch zum Freuen bräuchte, dann ist meine Mutter nicht da. Entweder ist sie gerade mit meinem siebenjährigen Bruder beschäftigt oder sie ist einkaufen oder bei einer Freundin oder telefoniert. Ich habe dann immer das Gefühl, total überflüssig zu sein. Wenn ich von der Schule komme, dann ist sie in der Küche, wenn ich Hilfe bei den Hausaufgaben brauche, sagt sie, das solltest du längst alleine können. Dann ist es wohl kein Wunder, wenn ich ausflippe und sie anschreie, was für eine blöde Kuh sie ist. Schließlich ist sie als Mutter auch dafür da, dass sie mir hilft und dann da ist, wenn ich sie brauche.

Ich finde es überhaupt gemein, dass sich die Erwachsenen eigentlich immer nur um sich kümmern, ich glaube, die brauchen Kinder nur, um sie manchmal vorzuführen, und so jemand bin ich einfach nicht. Ich bin nicht hübsch und zu dick. Darüber bin ich unglücklich. Aber dann werde ich so wütend und verzweifelt, dass ich alles, was ich an Essbarem finde, in mich hineinstopfe, und so werde ich immer dicker, und meine Mutter meckert mich an und sagt, ich sähe aus wie eine gestopfte Mettwurst. Sie kauft mir aber auch so komische T-Shirts und Kleider, dass ich immer das Gefühl habe, ich sei die Hässlichste auf der ganzen Welt. Wenn ich sage, dass ich mir meine Sachen längst allein kaufen könnte, dann sagt sie, ich hätte keinen Geschmack und ich würde mir immer die unpassendsten Dinge kaufen, die eigentlich erst für Sechzehnjährige richtig sind. So werde ich immer wütender. Entweder schrei ich sie an und mach sie fertig, oder ich suche nach Süßigkeiten im ganzen Haus, und dann geht es wieder von vorne los.

Aber manchmal, da ist meine Mutter auch ganz anders. Dann kommt sie ins Zimmer, wenn ich sie am wenigsten brauchen kann, wenn ich gerade Musik höre oder telefoniere, und fragt mich, ob sie mir etwas mitbringen solle, sie würde in die Stadt gehen. Das kann ich überhaupt nicht leiden. Ich fauche sie dann an, sie soll abhauen, und dann ist sie wieder beleidigt. Dass sie einfach nicht kapiert, dass sie mich in Ruhe lassen soll, wenn ich sie nicht brauchen kann! Wenn sie dann gekränkt ist und mich mit so großen, traurigen Augen anschaut, dann krieg ich wieder ein schlechtes Gewissen, und weil ich ein schlechtes Gewissen hab, geh ich wieder auf die Suche nach etwas Essbarem im Haus. Am schlimmsten ist es, dass ich das Gefühl habe, überhaupt nicht gemocht zu sein, von gar niemandem. Eigentlich mag ich mich auch nicht. Manchmal habe ich schon probiert, mir den Finger in den Hals zu stecken, um alles wieder auszuspucken, aber das geht auch nicht. Ich weiß eigentlich überhaupt nicht mehr, was ich tun soll. Am liebsten wäre ich nicht mehr hier. Mein Bruder, das ist auch so ein Ekel, ich habe das Gefühl, meine Mutter und mein Vater mögen ihn viel lieber, der ist nett und lacht und strahlt und meckert nicht, und dafür könnte ich ihn kurz und klein hauen. Der weiß das nämlich auch und schaut mich dann immer so schräg von der Seite an, wenn ich mit meiner Mutter Krach habe. Aber das zahl ich ihm schon heim, wenn's niemand sieht."

„Was soll ich nur tun, ich glaube, ich habe alles falsch gemacht!"
(Beates Mutter, 48 Jahre)

Beates Mutter, 48 Jahre, ist eine gepflegte, attraktive Erscheinung und sehr gewählt gekleidet. Sie kann die gemeinsame Krisensituation klar erfassen, ist aber gleichzeitig vollkommen verzweifelt. Einerseits klagt sie über ihre eigene problematische Situation, sie habe so Beschwerden durch die relativ früh einsetzenden Wechseljahre, sei dadurch gereizt und wenig belastbar, das würde sie selber merken, andererseits fühle sie sich durch ihre provozierende Tochter immer wieder an den Rand der Verzweiflung gebracht:

„Beate ist sprachlich so versiert, dass sie mich mühelos mit ihren Argumenten in die Ecke drängt, gleichzeitig ist es ein Redeschwall, dass ich kaum zu Wort komme. Sie wirft mir eigentlich immer wieder vor, was für eine schlechte Mutter ich sei. Ich selber habe auch immer wieder dieses Gefühl, als hätte ich alles falsch gemacht. Oft wünschte ich mir, ich könnte die zwölf Jahre noch einmal zurückdrehen und von Anfang an bewusster und auch informierter mit der Erziehung anfangen. Ich war der Meinung, dass ich, nachdem ich mich im Beruf bewährt hatte und von allen anerkannt war, auch die Situation mit einem Kind locker schaffen würde. Nun steh ich wie vor einer undurchdringlichen Mauer, und ich habe das Gefühl, nichts geht mehr. Am meisten beunruhigt mich die, ich muss schon sagen, Fresssucht meiner Tochter. Sie sucht das ganze Haus nach Süßigkeiten ab, nichts ist mehr vor ihr sicher. Gleichzeitig beklagt sie sich darüber, dass sie langsam wie eine Tonne wird und ihr nichts mehr passt. Ich versuche, ihr nette Kleidung zu kaufen, aber sie bringt es fertig, die einzelnen Teile so unmöglich zu kombinieren, dass es mir richtig weh tut und ich mit meiner Kritik nicht hinter dem Berg halten kann. Ich habe inzwischen Mühe, mich mit ihr in der Öffentlichkeit zu zeigen. Es fällt mir einfach schwer, mich zu ihr als meiner Tochter zu bekennen, allmählich habe ich das Gefühl, als ob ich einen kleinen Elefanten neben mir hätte.

Wenn ich nur noch einmal von vorne anfangen könnte! Streckenweise bin ich total verzweifelt und habe das Gefühl, meine und ihre Schwierigkeiten schaukeln sich wechselseitig hoch. Ich bin am Ende meiner Kraft. In meinem Mann habe ich wenig Unterstützung. Er meint, das sei letztlich mein Problem, was ich aus der Kindheit mitgebracht hätte, er selber habe mit seiner Tochter überhaupt keine Schwierigkeiten, wenn er mit ihr alleine sei. Sie sei offen, zugewandt, man könne wunderbar mit ihr reden und diskutieren, und das Übergewicht, das würde sich schon wieder zurechtwachsen, das sei doch ganz normal in der Pubertät, dieser Babyspeck."

Beate malt sich selbst zuerst: Abgewandt von der Mutter, beschäftigt, sich Eis, Lutscher und andere Süßigkeiten einzuverleiben, wobei in ihren Gedanken noch mehr Süßigkeiten herumspuken. Am Boden häufen sich die leergegessenen Tüten diverser Kekssorten. In der lieblosen Darstellung ihrer selbst wird das geringe Selbstwertgefühl deutlich. Die Augen, blind für die äußere Realität, scheinen mit den inneren Sehnsüchten befasst, die wiederum nur der Ersatzbefriedigung dienen. Blickt man auf die Abbildung der Mutter, so wird deren Hilflosigkeit deutlich: die verschränkten Arme, der gen Himmel gerichtete Blick und gleichzeitig eine erstarrte Haltung, die an den Spruch aus dem „Zappelphilipp" erinnert: „Und die Mutter blicket stumm auf dem ganzen Tisch herum." Sehnsucht nach Erfüllendem

Bildanalyse: „Ich suche im ganzen Haus nach Süßigkeiten."

und der verzweifelte Griff zum Ausfüllenden, das ist sichtbares Problem Beates. Sehnsucht nach Beziehung und Unfähigkeit, diesem Bedürfnis in einer liebevollen Geste Ausdruck zu verleihen, das spürt Beate als Problem der Mutter. Verhaftet in der individuellen persönlichen Enttäuschung scheint der Weg zueinander angesichts der äußeren und inneren Blickrichtung beider nach oben, hin zu Wunschträumen oder Illusionen, unmöglich.

Bei einer so spannungsreich aufgeladenen Interaktion zwischen Mutter und Tochter erscheint es nahe liegend, in der mütterlichen Familie nach den Ursachen der Konfliktsituation zu forschen. Umso überraschender ist es, wenn die Wurzeln für Verhalten und Identität des Mädchens in der väterlichen Familie zu finden sind.

Die Mutter von Beates Vater entsprach dem Bild, das schon Freud als typisch für das Erleben der Frau um 1900 zeichnete: Unsicher hinsichtlich des weiblichen Wertes gewinnt eine Frau erst über die Bestätigung seitens des Männlichen Bedeutung. Die Geburt eines Sohnes schließlich stabilisiert das angeschlagene weibliche Selbstwertgefühl und schenkt ihr sinnstiftende Identität. So auch bei Beates Großmutter: Nach einer frühen Heirat und der Geburt dreier unwillkommener Töchter folgte endlich der ersehnte Sohn. In der Folge hatte sie Augen und Ohren nur für ihn. Er allein galt etwas in ihren Augen, wohingegen die drei Töchter nur am Rande wahrgenommen wurden und die Legitimation ihres Daseins darin zu erblicken hatten, dem Bruder als Männlichem und, dahinter verborgen, dem mütterlichen Willen zu dienen. Sie waren schließlich nur Mädchen. Der Ehemann, Großvater Beates, trat kaum in Erscheinung. Er war bedeutend älter als seine Frau und sah seine Aufgabe vor allem darin, Ernährer der Familie zu sein. Als Chef eines mittelständischen Unternehmens spielte sich sein Leben außerhalb der Familie ab.

Wichtigster Bezugspunkt für die Großmutter war und blieb der Sohn. Sein Erfolg in Studium und Beruf, aber auch seine Chancen bei Frauen bedeuteten für die Mutter Aufwertung und Bestätigung. Ihre Abhängigkeit von ihm nützte der Sohn, indem er sich verwöhnen ließ und seine Mutter gleichzeitig mit seinen Ansprüchen tyrannisierte. Den Entschluss des Sohnes, die amourösen Abenteuer zu beenden und zu heiraten, erlebte die Mutter wie einen verräterischen Treuebruch. Sie behalf sich, indem sie die eigenen, durch das „Verlassen" des Sohnes wieder aufbrechenden Minderwertigkeitsgefühle auf die Schwiegertochter übertrug. Diese musste eine schlechtere Partnerin für den geliebten Sohn sein als sie selbst. Ihre wahnhaft aufgebauschten Ängste kreisen um die Gewissheit, die Schwiegertochter könne, weil sie offensichtlich begabt und differenziert war, ihren Sohn dominieren und für ihre Bedürfnisse manipulieren. Dass genau hier eigene Absichten durchschimmerten, konnte mit Hilfe dieser und ähnlicher Unterstellungen aus dem Bewusstsein geblendet werden, die als Projektion eigener Wünsche und Bedürfnisse interpretiert werden müssen. Die Tatsache, dass Beates Vater sich offen zu seiner Frau stellte, sogar massive Auseinandersetzungen mit seiner Mutter auf sich nahm, veranlasste jene, bevor es zum offenen Bruch kam und der endgültige Verlust des Sohnes drohte, vordergründig einzulenken. Die negativen Projektionen trafen jetzt die heranwachsende Enkeltochter, die in den Augen der Großmutter zum Ausdruck der Wertlosigkeit des Weiblichen schlechthin wurde.

Als ob Beate diese Rolle perfekt erfüllen und zusätzlich Mutter und Tanten von einem unglückseligen Vermächtnis erlösen wollte, entwickelte sie ein Selbstbild, welches das großmütterliche Urteil bestätigte: voller Minderwertigkeitsgefühle, unansehnlich, erfüllt von ständigem Neid auf den Bruder, der es als Junge an sich sowieso besser hatte und natürlich in ihren Augen auch der Bevorzugte war. Schließlich bekam jener als legitimer Thronfolger die ungeteilte Bewunderung und Bestätigung der Großmutter, was sich in zahlreichen Geschenken niederschlug, während Beate in jeder Hinsicht leer ausging.

Gegen diesen negativen Sog waren alle bewussten Anstrengungen der Eltern, vor allem auch der Großeltern mütterlicherseits, die Beate von Anfang an liebevoll und bezogen wertschätzten, wirkungslos. Beate war wie festgeschrieben in den negativen Bildvorstellungen der Großmutter, selbst noch bis über deren Tod hinaus. In einer fatalen und autodestruktiv anmutenden Wiederholungshaltung reinszenierte Beate bei fast allen Frauen, die ihr im Erziehungsalltag begegneten, diese primäre Ablehnung ihrer eigenen Person. Umumstößlich stand für sie fest, dass alle Frauen sie ablehnten und immer ablehnen würden. Dadurch bestätigte Beate ihre negative Selbsteinschätzung, fühlte aber gleichzeitig auch eine verzweifelte Wut.

In der Pubertät schließlich wurde die Mutter zur bösen Täterin, die das Männliche, den Bruder, mehr zu lieben schien. Der von der Großmutter und den Lehrerinnen auf die Interaktion mit der Mutter verschobene Kriegsschauplatz aktivierte immer neu Gefühle des Verkanntseins, von Wut und Schuld, wodurch sich Beate immer tiefer in den Teufelskreis der Sucht hineinmanövrierte.

In diesen Verstrickungen ersinnt die Psyche bewusst oder unbewusst Erklärungsmodelle, um mit der Frustration leben zu können. Für Beate war offensichtlich, dass ihre Probleme darin begründet lagen, dass Mädchen einfach weniger wert sind als Jungen. Diese Schlussfolgerung wiederum legitimierte ihren Hass auf den Bruder, den sie zusätzlich auf nahezu alle Klassenkameraden ausdehnte. Damit übernahm sie unbewusst die Fühlweise der Großmutter. Anders als diese weigerte sie sich jedoch, das Männliche zu idealisieren, um sich dann in der Identifikation wertvoll zu fühlen, sondern machte die Ablehnung des Männlichen zu einem Politikum. Voller Stolz sang sie das Lied der Suffragetten und demonstrierte, wo immer sie konnte, Ablehnung und Entwertung des Männlichen. Angesichts dieser gnadenlos ausagierten Aggression wurde Beate sowohl von Gleichaltrigen als auch von Lehrern und Eltern vermehrt ausgegrenzt, was ihr wiederum die Berechtigung für ihr Tun „nachlieferte" und sie in ihrer Männerfeindlichkeit nur noch weiter bestärkte. Ein später Ausgleich für das weibliche Schattendasein früherer Generationen, die dieses Schicksal frag- und klaglos auf sich genommen hatten?

In der schwierigen Beziehung Beates zur Mutter spiegelt sich eine Ambivalenz, die zwischen der Entwertung des Männlichen einerseits und der Überzeugung eigener Minderwertigkeit andererseits hin- und herpendelt. Diese unterschwellige Ambivalenz hinsichtlich der weiblichen Rolle lässt nicht nur Beate immer neu an sich zweifeln, sondern verunsichert auch die Mutter. Angesichts der schwierigen Beziehung zu ihrer Tochter geriet Beates Mutter in die Gefahr, in ähnlicher Weise wie einst die Schwiegermutter ihr gegenüber eigene Schattenanteile, eigene ungeliebte Eigenschaften auf die Tochter zu projizieren, um sie dort zu bekämpfen. So war gleichzeitig auch ihre zunehmend ablehnende Haltung der Tochter gegenüber gerechtfertigt, denn einer solchen Tochter in dieser aggressiv-provozierenden, negativ-destruktiven und gleichzeitig gierigen und geringschätzigen Haltung musste man sich doch schämen!

Beate trifft die Mutter an einem empfindlichen Punkt, der sich in den Wechseljahren offenbar erst herauskristallisiert hat. Beates Mutter kann auf ihre Tochter nicht stolz sein. Beate verweigert mit ihrem Äußeren und ihrem Verhalten die Möglichkeit, die sich viele Mütter wünschen, in und mit der Tochter nochmals ein Stück Jugend zu erleben: sich in der Tochter wie in einem positiven Spiegel zu sehen und gleichzeitig als Mutter und Tochter bewundert zu werden. Parallel zum demonstrierten eigenen negativen Selbstbild stellt Beate vor diesem Hintergrund auch den Wert der Mutter in Frage. Dies umso heftiger, als Beates Mutter mit der Einschränkung durch die frühen Wechseljahre offensichtlich selbst nicht zurechtkommt. In dieser engen Verflechtung scheint sich eine illusionäre Lösung im sehnsüchtigen Blick rückwärts anzubieten. Aber leider kann man das Rad der Zeit nicht unter Einbezug der aktuellen Reife rückwärts drehen. So droht der Zweifel am eigenen Wert und dem der Tochter in Verzweiflung umzuschlagen, was hoffnungsvolle Gelassenheit unmöglich macht. Aus Sicht von Beates Mutter hat der Ehemann gut reden. Er steht dieser vielschichtigen weiblichen Problematik fern und verständnislos gegenüber, eine Wahrnehmung, die Beates Mutter mit manchen Müttern in der Krisensituation der Wechseljahre teilt.

Überanpassung und Mut zu sich selbst –
Lassen und Loslassen

„Ich habe Angst, aber ich will unabhängig werden!"
(Felix, 16 Jahre)

Felix, 16 Jahre, ist ein großer, athletisch gebauter, gut aussehender Jugendlicher. Mit einer um ein Jahr jüngeren Schwester und einem zwei Jahre älteren Bruder erlebt er sich in der typischen „Sandwich"-Situation: „Über mir der große Bruder, der alles besser weiß, sich aufspielt, als ob er der große Held wäre, nach mir die Schwester, ein verwöhntes Nesthäkchen, die geliebte Tochter, auf die meine Eltern so lange gewartet haben (ironisch)!" In seiner Haltung schwankt er zwischen Überanpassung und dem Versuch, Mut zu sich und seiner Meinung zu entwickeln. Seine pubertäre Situation fasst er so zusammen: „Wenn ich nur wüsste, was richtig ist ..."

Er berichtet, dass er die Ansprüche der Eltern an ihn bisher fraglos hingenommen und sich ihnen früher immer angepasst habe. Offenen Auseinandersetzungen sei er aus dem Weg gegangen und habe sich lieber in sein Zimmer zurückgezogen, wohingegen seine Schwester mit ihrer lärmenden Aufsässigkeit und ihren Schwierigkeiten von jeher die Aufmerksamkeit der Eltern auf sich gezogen habe.

„Ich hatte früher das Gefühl, dass ich nie richtig, nie lieb genug, nie anständig genug, nicht ausreichend folgsam war und zu wenig auf die Bedürfnisse meiner Eltern eingegangen bin. Erst ganz allmählich habe ich gemerkt, dass meine Umwelt mir auch etwas schuldig ist. Ich weiß heute, dass ich mich behaupten, meine Ansprüche äußern muss, auch wenn es nicht gerade auf die feine Art ist. Typisch ist, dass meine Eltern mir immer ein schlechtes Gewissen machen, sie zeigen sich als die überforderten Eltern, an denen alles hängt: Wir räumen zu wenig auf, wir machen Chaos, wir wollen uns immer an den gedeckten Tisch setzen, wir sind die verwöhnten Herrschaften, und unsere Eltern empfinden sich als unsere Diener. Da sind sich beide einig, Mutter und Vater, dass sie doch alles für uns tun, und wir konsumieren diese gute Behandlung und sind nicht mal besonders dankbar. Früher haben mir meine Eltern leid getan, aber inzwischen ärgert es mich, dass wir immer diejenigen sind, die sich ändern sollen, wir sollten mehr auf ihre Wünsche eingehen, wir sollten sie sehen. Aber im Grund habe ich das Gefühl, dass es für sie ganz wichtig ist, dass sie sich notwendig fühlen und gebraucht werden. Ich möchte wissen, was die täten, wenn wir ihnen einfach das Kindsein kündigen würden, wenn wir nicht mehr zur Verfügung stünden, um uns von ihnen versorgen zu lassen. Im Grunde wissen die gar nicht, was wirklich in mir vorgeht. Aber es liegt wohl auch daran, dass ich keinen Bock habe zu reden, wenn meine Mutter immer wieder nachbohrt: „Wie geht's dir, erzähl mir doch was, ich weiß so gar nichts von dir!" Dann könnte ich aus der Haut fahren und würde sie am liebsten anbrüllen, aber dann bekäme sie die Krise und würde sich den Kopf halten, weil sie schon wieder Schmerzen hat. Darum sage ich nur: ‚Es ist alles O.K.' und verschwinde in meinem Zimmer. Ich habe irgendwie immer ein schlechtes Gewissen, und das regt mich so maßlos auf. Was in mir ist, das geht sie nichts an, ich weiß ja selbst nicht so richtig, was mit mir los ist.

Mit den Freundinnen klappt es auch nicht so recht, und das regt mich tierisch auf. Immer, wenn ich was in Aussicht habe, dann fürchte ich mich schon, dass meine Mutter es wieder herauskriegt. Und dann macht sie diese blöden Andeutungen mit ‚aufpassen' und so, als ob ich von vorgestern wäre. Und überhaupt: So schnell, wie die meint, gehe ich sowieso mit niemand ins Bett. Sie soll mich einfach lassen!

Mein Vater ist auch nicht besser. Mal gibt er sich ganz locker, dann ist er wieder so verdammt ironisch, besonders, wenn es um Mädchen geht. Als ob er der Einzige wäre, der es bringt. Einfach zum ... Ich weiß nicht, ob unsere Eltern nicht eigentlich Nachhilfestunden bräuchten, um zu begreifen, dass Elternsein so nicht mehr dran ist. Sie sollten sich mal mehr um sich kümmern, das wäre für uns alle die größte Entlastung. Meine Schwester, mein Bruder und ich, wir sind uns in diesem Punkt einig. Uns geht das alles auf den Geist. Aber was soll man machen? Wenn wir ihnen das so deutlich sagen würden, dann würden sie nur traurig und uns wahrscheinlich erzählen, dass sie es ja so gut meinen und ob das der Dank für ihren großen Einsatz sei, wo sie ja immer versucht hätten, Berufstätigkeit und Kinder unter einen Hut zu bringen."

Felix' angepasste Haltung hat sich in zunehmendem Maße zu einer Staumauer verdichtet, die Affekte und Gefühle zurückgehalten hat, was ihn, so berichtet er, unterschwellig sehr beunruhigte. Er wusste aber keine andere Möglichkeit, als sich noch mehr in sich zurückzuziehen und sich wegen seiner Affekte und Aggressionen Vorwürfe zu machen. So geriet er immer stärker in einen Zwiespalt zwischen Wünschen und Wollen, zwischen Neigung und Zwang: Empfindungen, die er nicht mehr auf einen gemeinsamen Nenner bringen konnte.

„Was bleibt uns, wo stehen wir?"
(Felix' Eltern, 57 und 58 Jahre)
Felix' Eltern sind beide sympathisch, aufgeschlossen und außerordentlich differenziert. Im Gespräch sehen sie durchaus die Schwierigkeiten, die ihr Sohn Felix formuliert hat, aber gleichzeitig betonen sie: „Wir haben uns beide diese Kinder so sehr gewünscht, es war uns klar, dass das einen großen Einsatz von uns forderte, weil wir beide unsere Berufstätigkeit aufrechterhalten wollten. Aber wir haben ihn mit Hilfe von Tagesmüttern gerne geleistet. Natürlich waren wir oft überfordert. Als die Kinder klein waren, war es manchmal so, als hätten wir Drillinge, und wir wussten kaum, wie wir die notwendige Fürsorge bewältigen sollten. Natürlich sind wir da sicher den Kindern und speziell Felix manches schuldig geblieben, um so mehr, als sich seine

Schwester mit ihren intensiven Forderungen immer wieder in den Mittelpunkt drängte. Aber wir haben uns ungeheuer bemüht, wir haben viel gelesen über Kindererziehung, über psychologische Gedankengänge und wollten es einfach richtig machen. So waren unsere Kinder und die Erziehung ein ganz zentrales Thema. Die Berufstätigkeit war zwar wichtig, doch stand sie letztlich doch im zweiten Glied.

Und nun sind die Kinder plötzlich groß und gehen ihre eigenen Wege, und wir fühlen uns alt und ein bisschen wie in die Ecke gestellt, unbrauchbar. Und doch hätten wir noch so vieles, was wir den Kindern gerne vermitteln und mit ihnen erleben möchten. Es fällt so schwer anzuerkennen, dass wir sie um ihretwillen loslassen müssen, wir würden viel lieber noch ein Stück Familie und Gemeinsamkeit genießen. Andererseits wissen wir, dass es an der Zeit ist, dass wir uns um uns kümmern. Aber uns sind andere Themen, andere Gemeinsamkeiten aus dem Blickfeld geschwunden. Die Kinder und die Fürsorge für sie, die Verantwortung haben allen Raum eingenommen. So stehen wir beide manchmal da und fragen uns, was bleibt uns, wer sind wir, und wo bleiben wir, wenn die Kinder gehen?

Felix entzieht sich uns am deutlichsten, einfach dadurch, dass er gar nichts sagt. Das tut uns weh, gerade weil wir das Gefühl haben, ihm gegenüber noch etwas einbringen zu müssen, ihm noch etwas schuldig zu sein. Wir stecken in einer Zwickmühle: einerseits das Gefühl, es ist eigentlich vorbei, wir können nichts mehr machen, andererseits würden wir so gerne noch mal intensiv leben mit den Kindern und gerade bei Felix noch etwas nachholen. Trotz aller Konflikte ist es so viel leichter, mit den Kindern und für die Kinder zu leben, als zu suchen, was einem jetzt noch bleibt. Im Grunde, das wissen wir, haben uns die Kinder das Gefühl von Jugend gegeben, und jetzt ist es, als ob wir aufwachten und sich uns plötzlich die Frage stellt: Wie gestalten wir das Alter? Vielleicht haben wir uns zu wenig darin eingeübt, etwas für uns zu tun. Das Schwierigste ist, dass wir das Gefühl haben, dass Felix unsere Hilflosigkeit, dieses Empfinden von Leere, wenn er, wenn die Kinder gehen, spürt. Manchmal schaut er uns so merkwürdig an, und wir haben das Gefühl, er liest in uns wie in einem offenen Buch. Hoffentlich finden wir aus diesem Dilemma noch einen Weg heraus, wir fühlen uns oft so mut- und kraftlos, als ob jetzt nichts mehr auf uns wartet."

Bildanalyse: „Wenn ich nur wüsste, was richtig ist!" – „Wie können die Eltern ihr Alter gestalten?"

Felix malte zu seiner Situation und der seiner Eltern spontan zwei Bilder. Sein Schwanken zwischen Anpassung und Eigenständigkeit drückt sich in dem linken, nach unten und dem rechten, nach oben gerichteten Pfeil aus. „Wo stehe ich, welchen Weg soll und darf ich einschlagen? Ist Anpassung Absturz, ist Eigenständigkeit Aufstieg, oder ist es womöglich umgekehrt?" Diese Worte wiederholte er, während er malte, sinngemäß immer wieder. Irritation und Af-

fekt lebte Felix sehr spontan aus, indem er mit der roten Farbe des Fragezeichens das Blatt bespritzte und damit den ihn „bis aufs Blut" quälenden Zwiespalt unterstrich.

Felix schloss noch ein zweites Bild an: Zwei Gesichter, ein weibliches und ein männliches, sind zu einem Kopf verschmolzen. Beide schauen starr in entgegengesetzte Richtungen. Die unterschiedlichen Perspektiven werden dadurch unterstrichen, dass für das Weibliche oben, was für das Männliche unten ist. Aufgrund dieser Verschränkung blicken beide Partner nach links, einen Raum, der überwiegend Vergangenheit und regressive Sehnsüchte symbolisiert. Problem und Lösung für die Eltern von Felix wird hier sinnbildlich: Sich trennen und den Mut entwickeln, zu der eigenen Persönlichkeit in ihrer Unterschiedlichkeit zu stehen. Offen zu sein für die sich anbietende neue Sicht des Lebens und die Symbiose mit dem Partner als Einschränkung beim Aufbruch in den neuen Lebensraum zu erkennen. Das bedeutet eine mutige Kehrtwendung nach rechts in die Progression. Auch der neue Lebensabschnitt kann positive Angebote und Herausforderungen in sich bergen, wenn man sich ihm zuversichtlich aussetzt. Für den Sohn in seiner Krisensituation hätte ein solches Tun entlastende Vorbildfunktion. Er seinerseits muss ja ermutigt werden, sich auf seine Einmaligkeit zu besinnen, seinerseits aufzubrechen, statt in kindlichen Loyalitätsbindungen zu verharren.

Um Felix und sein Gewordensein zu verstehen, muss man den Blick auf beide Herkunftsfamilien richten. Felix' Mutter stammt aus einer bürgerlichen Pfarrersfamilie, in der Ordnung, Zucht und Pflichterfüllung an erster Stelle standen. Beide Eltern pflegten einen „rechten und gerechten" Lebenswandel. Oberstes Prinzip war, für andere da zu sein. An sich zu denken, eigene Bedürfnisse in den Mittelpunkt zu rücken, erschien nahezu als Sünde. Die vier Kinder mussten mit ihren Bedürfnissen hinter denen der Gemeinde zurückstehen und sollten sich möglichst unauffällig entwickeln.

Felix' Mutter brach nach Ende der Schulzeit aus diesem starren und lustfeindlichen Rahmen aus und nutzte die 68er-Bewegung, um den Protest über die Identifikation mit den rebellischen Studenten gegen starre Normen und Traditionen zu leben und darin auch die Auflehnung gegen das eigene Elternhaus unterzubringen. Damit vollzog sich eine scheinbare Befreiung, die jedoch nicht wirklich frei machte, weil die persönliche Auseinandersetzung nicht mit den Eltern geführt, sondern auf Universität und die Professoren verschoben wurde. Zum Entsetzen der Eltern brach sie ihr Lehramtsstudium ab, jobbte in verschiedenen Berufen und kehrte dann in die Heimatstadt zurück. Dort heiratete sie schließlich, sehr zur Erleichterung der Eltern, die ihre freie Lebensgestaltung mit großer Besorgnis beobachtet hatten.

Felix' Vater stammt aus ähnlich strukturiertem Milieu. In der Pubertät ging er in den totalen, alle Normen sprengenden Protest, brach erst die Schulausbildung, dann eine Lehre ab und verließ schließlich die enge schwäbische Heimatstadt. Weit entfernt suchte er sich dann selbst erneut eine Lehrstelle, begann, sich mit Hilfe der Abendrealschule auf einen höheren Schulabschluss vorzubereiten, absolvierte dann ein Fachstudium und schloss dieses erfolgreich ab. Zum Zeitpunkt der relativ späten Eheschließung hatten sich beide Eltern von Felix wieder den einst abgelehnten bürgerlichen Normen angenähert. Als Gegenbewegung zur autoritären Erziehungshaltung ihrer Eltern versuchten sie über ihre Wunschkinder, einerseits eine gewährende Haltung zu praktizieren, gleichzeitig jedoch auch ein modernes Familienkonzept ohne schuldhafte Bindungen zu verwirklichen. Dazu gehörte auch, dass sie sich weiterhin beruflich engagieren wollten, um daneben ohne starre Rollenzuweisungen in gleichberechtigter Partnerschaft alle anstehenden Aufgaben von Kindererziehung und Haushalt gemeinsam zu bewältigen. Hinsichtlich der Kinder bestand die Idealvorstellung, ihnen alles zu bieten: Präsenz und Engagement beider Elternteile, Halt und Geborgenheit neben freier Entfaltung ihrer Anlagen. In vielen gemeinsamen Gesprächen und Diskussionen, in der Übereinstimmung ihrer Erziehungsprinzipien, in der Ablehnung des autoritären Stils ihrer Eltern fanden sie eine sie tragende Gemeinsamkeit. Optimale Förderung der Persönlichkeiten ihrer Kinder hatte für beide höchste Priorität.

Bis zur Pubertät schien dieses Konzept aufzugehen. Die Kinder gingen relativ problemlos ihren Weg, gleichzeitig hatten die Eltern das sie beruhigende Gefühl, in einer liebevoll verbundenen großen Familie zu leben. Mit der Pubertät traf sie Abgrenzung, Auseinandersetzung und Beziehungsabbruch verhältnismäßig ungeschützt. Felix' Eltern hatten geglaubt, dass die Auflehnung, die sie selbst praktiziert hatten, nur dann notwendig sei, wenn Eltern so wenig einfühlsam und autoritär agierten wie die ihrigen. Erst schrittweise wurde ihnen bewusst, dass sie die Kinder mit ihrer gewährenden Haltung einerseits verwöhnt, andererseits massiv gebunden hatten, so dass diese die gleiche Notwendigkeit verspürten, sich aus ihrem Milieu herauszulösen und eigene Wege zu gehen, wie einst sie selbst.

Angesichts der eigenen Wechseljahre, der damit einhergehenden geringeren Belastbarkeit und des Gefühls, alt zu sein und mit den Kindern einen sie erfüllenden Inhalt zu verlieren, hatten Felix' Eltern das Empfinden, als zerplatzten Seifenblasen, als ob all ihre bewusste Mühe um ein harmonisches Miteinander vergeblich sei. Vor allem der Rückzug von Felix, den die Eltern als Mangel an Vertrauen interpretierten, schien ihnen das schmerzhafte Scheitern ihres großen Einsatzes vorzuführen. Es kam ihnen vor, als wiederhole sich ihre eigene Geschichte mit ihren Eltern, und sie hatten das Gefühl, trotz bester Absichten und hohem Engagement vor einem Trümmerhaufen zu stehen. Hatten sie sich tatsächlich trotz äußerer Abgrenzung innerlich so wenig von ihren Eltern abgelöst?

Eine Gegenposition in der Lebensführung und in der Erziehung der Kinder einzunehmen garantiert nicht zwangsläufig Reife und einen unabhängigen Standpunkt. Felix' Eltern verstanden, dass ihnen ihrer beider Übereinstimmung Halt und Standfestigkeit gegeben hatte, so, wie sich zwei schwankende Schilfrohre wechselseitig stützen können. Die Kinder hatten in diesem Zusammenhang die Funktion des „Bindungskittes", waren damit aber auch zu loyalem Bindungsverhalten verurteilt. Die unterschwellige Tendenz, den Kindern, speziell Felix, hinsichtlich des notwendigen Distanzierungsprozesses Schuldgefühle zu machen und über eine doppelte Botschaft den status quo aufrechtzuerhalten, verriet den Eltern, wie sehr sie sich selbst noch mit dem „bürgerlichen" Modell der „heilen Familie", das ihre Eltern in Verbindung mit hohen moralischen Forderungen gelebt hatten, identifizierten.

Es wurde ihnen bewusst, dass es im fortgeschrittenen Lebensalter nicht nur um Lösung von den Kindern, sondern darüber hinaus auch um Lösung von tief verwurzelten, übernommenen Glaubenssätzen ging. Diese repräsentierten in ihrer nach wie vor bestehenden Wirksamkeit die Forderung, die Pflicht über das Vergnügen zu stellen, das

Tun für andere höher zu bewerten als den Einsatz für sich selbst. Das Leben schien im Wesentlichen von aktiv zu bewältigenden Aufgaben bestimmt. Etwas in Gelassenheit zu lassen hingegen bedeutete schuldhaftes Versäumnis.

Felix erkennt die Notwendigkeit, sich aus dieser verwickelten Position herauszulösen und sich zu entscheiden. Gleichzeitig spürt er, dass gerade diese Aufgabe für ihn aus eigener Kraft kaum zu lösen ist. Dafür bräuchte er seitens der Eltern den heilsamen Stoß aus dem Paradies der Verwöhnung. Die neue Entwicklungsstufe der Adoleszenz ist der rauen Luft vergleichbar, die ihn nach dem elterlichen Treibhausklima erwartet. Sie bringt aber auch den frischen Wind von Eigenständigkeit und aktiver, dynamischer Selbstdurchsetzung mit sich. Sich seiner selbst bewusst zu sein, sich mit einer eigenen Meinung zu behaupten, sich durchzusetzen, statt passiv in Entscheidungsunfähigkeit zu verstummen, das steht für Felix als Aufgabe an, kann aber nur schuldfrei gewagt werden, wenn die Eltern loslassen.

Felix' Eltern sehen diese, durch die Wechseljahre akzentuierte und von ihnen bislang hinausgeschobene Aufgabe ebenfalls sehr klar. Vielleicht spüren sie, dass jetzt die Forderung an sie herantritt, sich aus der engen Wir-Verbundenheit zu lösen und individuelle Wege zu suchen. Dabei könnte sich die Erkenntnis aufdrängen, dass die Übereinstimmung in der gemeinsamen Fürsorge für die Kinder eine symbiotische Nähe herstellte, die nun nicht mehr garantiert ist. Dieser Eindruck entstand zumindest angesichts ihrer von beiden ausschließlich in Wir-Form formulierten Gedanken. Auch die Eltern stehen jetzt, ähnlich wie Felix, vor der Herausforderung, die eigene Individualität zu entdecken und sich ihr in ihrer Polarität zu stellen.

3. Lösungswege finden

Krisen lösen: Ein aktiver Entscheidungsprozess

Krisen zu lösen ist ein aktiver Prozess, der sowohl den Einsatz des Jugendlichen als auch den der von der Lebensmitte gebeutelten Eltern fordert. Es ist eine Anstrengung, die sowohl der Beziehung zum anderen als auch zu sich selbst nützt. Die eigene Krise kann nur der Betroffene selbst lösen. Das setzt jedoch voraus, dass man wirklich Veränderung und Besserung wünscht. Wenn man eine Situation wirksam verändern will, muss man seine Einstellung zu ihr ändern, und das gilt sowohl für die Pubertierenden wie auch für die älteren Eltern.

Ähnlich wie ein Pol definierbar wird, wenn man den anderen kennt – vergleichbar unserem Bewusstsein von „hell", weil wir „dunkel" kennen –, sind Lösungen in dem Augenblick bewusstseinsnah, wenn Konflikte als solche erkannt werden. Echte Lösungen verlangen also, Spannungen ernst zu nehmen, sie auszuhalten, durchzutragen, ohne Schuldgefühle zu bekommen und den Rückzug in einen unechten Harmoniezustand anzutreten. Mit dem Mut zu dieser Haltung können Pubertierende ihren Eltern positive Impulse geben, die deren Ängste vor Spannungen zu neutralisieren vermögen. Gerade ältere Eltern haben häufig die Vorstellung, dass Konflikte zwangsläufig mit dem endgültigen Verlust von positiver Beziehung einhergehen. Lösung heißt, immer wieder neu auftauchende Reibungen im Zusammenleben mit den nach Eigenständigkeit strebenden Pubertierenden und den und um den Erhalt der Autonomie kämpfenden älteren Menschen auszuhalten und individuelle Wege zu finden, die der Dynamik des ständig wechselnden Lebens entsprechen. Dies führt zu Lösungen, die weder wiederholbar noch austauschbar sind, sondern immer wieder neu gefunden werden wollen.

Lösung heißt, Einsamkeit anzuerkennen (Uta)

Uta steht stellvertretend für viele Pubertierende, die sich von aller Welt verkannt, nicht verstanden fühlen. Dieses Erleben hängt mit einer neuen, bewussteren Wahrnehmung der eigenen Individualität in seiner Einmaligkeit zusammen. Die mit der Pubertät einsetzende Fähigkeit, über sich selbst zu reflektieren, führt zu der Erkenntnis, dass man sich in seinem Denken, Fühlen und Erleben grundsätzlich von anderen Individuen unterscheidet. Im Bewusstsein der eigenen Einzigartigkeit liegt die Zumutung, Einsamkeit anzuerkennen, die sowohl Alleinsein bedeutet als auch von seiner etymologischen Wurzel mit „ein(s)-sammeln" gleichzusetzen ist. Also verbirgt sich hinter diesem Wort auch die Bedeutung, sich auf sich selbst zu konzentrieren und damit zur Selbsterkenntnis zu gelangen, was eine wichtige Voraussetzung für die Entwicklung kreativer Persönlichkeitsanteile ist.

Uta jedoch erlebt Einsamkeit vor allem als Verlassenheit. Einerseits sehnt sie sich danach, verstanden zu werden, andererseits gefällt sie sich auch im Gefühl des Alleinseins, so dass sie die Mutter häufig gerade dann, wenn sich diese ihr nähern will, zurückstößt. Uta muss in ihrer Entwicklungssituation für sich erkennen, dass sich beide Bedürfnisse nicht gleichzeitig befriedigen lassen. Sowohl in der Einsamkeit als auch in der Gemeinsamkeit liegt der Reichtum des Lebens verborgen, aber jedes kann nur zu seiner Zeit gelebt werden. Das eigene, noch zu formende Ich wird zum Zentrum, das sich je nach äußeren und inneren Bedingungen für das eine oder andere entscheidet. Mut zu Nähe oder Distanz entsteht, wenn Uta sich als handelndes und entscheidendes Ich begriffen hat. Dann wächst die Freude an der individuellen Existenz, in der man das eigene Leben tatkräftig in die Hand nimmt und sich nicht mehr als ohnmächtig leidendes Objekt in einer von Willkür bestimmten Umwelt begreift. Dieses gewandelte Bewusstsein kann dann zur Folge haben, dass Uta sich aufmacht und verstärkt den Kontakt mit Gleichaltrigen pflegt. Dort kann sie Bestätigung und Akzeptanz erfahren, was ihr erleichtert, sich immer wieder in diese sie bestärkende Situation zu begeben, statt zu Hause zu sitzen und über ihre Isolation nachzugrübeln. Hier liegt auch die wichtige, gemeinschaftsstiftende Funktion des Diskothekenbesuchs. Die Halt gebende Erfahrung gemeinsamer Erlebnisse mit Gleichaltrigen stärkt und festigt die neue Position als Jugendliche. Es bricht die Zeit an, wo Jugendliche Reisen mit den Eltern als öde, solche mit Gleichaltrigen, z. B. in Ferienlagern mit Betreuern, die nur wenige Jahre älter sind, als begeisternd erleben. Etwas in dieser Richtung zu wagen, hülfe Uta, ambivalente Gefühle aufzulösen und Identität über die Identifikation mit Gleichaltrigen zu befestigen.

Lösung heißt, den Mut zur Grenzsetzung zu entwickeln (Utas Mutter)

Utas Mutter hat von jeher hohe Ansprüche an sich gestellt. Es war ihr wichtig, allen Aufgaben, dem Beruf, Haushalt und Kindern sowie der Beziehungsgestaltung mit dem Partner, gerecht zu werden. Das wurde je länger je mehr zu einer Überforderung, vor allem, als sich im Klimakterium die Belastbarkeit spürbar verringerte. Der Versuch, mit verstärktem Einsatz über die körperlichen und psychischen Signale hinwegzugehen, führte zu einem Gefühl von Trostlosigkeit und dem Empfinden, vollkommen ausgebrannt zu sein. Der Schrei nach der Insel entspricht der Sehnsucht nach der Freiheit von Pflichten und dem belastenden Alltag. Utas Mutter wird aber nicht durch einen fliegenden Teppich in dieses Paradies gezaubert, sondern sie muss lernen, es sich selbst schrittweise zu gestalten, indem sie Grenzen setzt. Diese betreffen zunächst die Umwelt, vor allem die pubertierenden anspruchsvollen und stimmungslabilen Kinder. Neben der Notwendigkeit, diese in ihren Gefühlsschwankungen zu verstehen, heißt Grenzen setzen in der Pubertät auch, Forderungen zu stellen und sich nicht zum Diener der Bedürfnisse der Kinder zu machen. Grenzen muss Utas Mutter aber auch gegenüber Forderungen der Umwelt ziehen, denen sie früher so nebenbei nachgekommen war. Es machte ihr ja nichts aus: die kleine Gefälligkeit für die Nachbarin, das halbe Stündchen mehr im Beruf. Aber spätestens wenn die eigenen Kräfte nicht mehr im Übermaß vorhanden sind, ist es wichtig, nicht mehr nur den anderen, sondern vor allem auch sich selbst zuliebe zu leben und ‚nein‘ sagen zu lernen. Das bedeutet, dass Utas Mutter auch sich selbst gegenüber vermehrt Grenzen setzen muss, und zwar vor allem hinsichtlich des eigenen Anspruchs, möglichst auf allen Gebieten perfekt zu funktionieren. Fünfe gerade sein zu lassen, nicht in allem vollkommen sein zu wollen ist jedoch schwer, wenn der eigene Wert überwiegend aus der perfekt erbrachten Leistung abgeleitet wird. Hier hilft nur das praktische Ausprobieren weiter: Wenn Utas Mutter erfährt, dass die Welt nicht zusammenbricht, wenn sie für die Familie nicht gekocht hat, wenn sie ein Buch liest, statt in der Wohnung Staub zu saugen, wenn sie sich einen gemütlichen Telefonplausch mit der Freundin gönnt, statt die Hausaufgaben der Jugendlichen zu kontrollieren, dann gibt es jeden Tag eine Pause auf der Insel der Entspannung, so dass diese Insel nicht mehr verzweifelt im Reich der Illusionen ersehnt werden muss.

Lösung heißt, das Rätsel des eigenen Ichs zu lösen (Simon)

Viele Pubertierende versuchen, ähnlich wie Simon, sich selbst zu begreifen, indem sie ein lautstarkes ‚nein‘ gegenüber allem, was sie umgibt, herausschreien. Indem Simon seinen Vater in dessen Sein und Tun fast ausschließlich entwertet, versucht er, seine Andersartigkeit zu betonen. Je schwankender die neue Identität noch ist, je wackliger der Boden, auf dem die eigene Position aufgebaut wird, desto aggressiver muss Simon sie nach außen hin verteidigen. Er gleicht, wie manche andere Pubertierende, dem Rumpelstilzchen: Einerseits soll sein Name, der seine Individualität versinnbildlicht, erraten werden, weil Simon an seiner eigenen Rätselhaftigkeit leidet, andererseits möchte er auf gar keinen Fall entdeckt, durchschaut, erkannt werden.

Simons Entwicklungsaufgabe könnte es sein, über sich selbst nachzudenken, statt den Vater kritisch zu beobachten und zu entwerten. Er müsste lernen, sich zu sehen, gerade auch in seinen Schattenseiten. Das bedeutet, die Äußerungen des Vaters nicht nur unter dem Aspekt der Wichtigtuerei, des Veralteten oder Borniertheit einzuordnen, sondern die altersgemäße Kritikfähigkeit auch auf die eigene Person auszudehnen und aus diesem Blickwinkel die Äußerungen des Vaters auf ihren Wahrheitsgehalt hin zu untersuchen. Vielleicht würde er dann auf die eigene Einseitigkeit, z.B. in seiner Computerneigung, stoßen und erkennen, dass er dem Vater, wenn auch mit anderer Schwerpunktsetzung, ähnlicher ist, als er meint.

Simon vergibt sich nichts, wenn er die Welt der Bildung entdeckt. Gerade über seine Computerkompetenz ließe sich die Fülle des Wissensgutes erschließen. Aber Bildung bleibt totes, einen Pubertierenden wenig animierendes Wissen, wenn es nicht im Gespräch belebt wird: Statt einen selbstgefälligen Monolog zu halten, könnte Simon die Diskussion nicht nur mit dem Vater, sondern auch mit der Mutter suchen. Sie nicht nur als verstehende und verwöhnende Instanz zu betrachten, sondern ihr im geistigen Bereich zu begegnen, hieße, neue Standorte zu bestimmen und aus starren Bildvorstellungen auszubrechen.

Ein weiterer Lösungsansatz könnte für Simon darin bestehen, nicht nur seinen Kopf zu nutzen, sondern auch den Körper in Bewegung zu bringen. Radfahren ist für die positive Besetzung der noch fremden, überwiegend disharmonischen Körperlichkeit ein ideales Mittel, weil es neben der Dynamik auch das lustvolle Ausleben von Vitalität und Tempo erlaubt.

Damit wäre eine Basis für die Entwicklung von Vielseitigkeit statt Einseitigkeit, für Toleranz statt Entwertung, für Großzügigkeit statt rechthaberischer Kleinlichkeit geschaffen. Nicht selten verändern Jugendliche durch ihre eigene Entwicklung auch die starre Position ihrer Eltern. Simon könnte möglicherweise gerade dieses Mehr an Zuwendung seitens des Vaters dadurch erreichen, dass er sich bewusst und eigenverantwortlich um den Aufbau seiner Persönlichkeit in all ihren Facetten bemüht und damit an der Entschlüsselung seiner eigenen Rätselhaftigkeit arbeitet – mit dem Ergebnis: „Das bin ich, Simon."

Lösung heißt, sich in seiner Ganzheit zu erkennen (Simons Vater)

Eltern in den Wechseljahren werden im Spiegel der pubertären Unsicherheiten ihrer Kinder auch auf eigene Identitätsprobleme gestoßen, die im Angesicht der persönlichen Schwellensituation neu gelöst werden wollen. Im Zusammenhang damit verdeutlicht sich, dass Selbstsicherheit leider immer nur ein Gewinn auf Zeit ist und in jeder Lebensphase neu erworben werden muss. Diese Beobachtung verbindet sich, und das machen die Äußerungen von Simons Vater deutlich, mit einer weiteren, die innere Stabilität infrage stellenden Erkenntnis: Die Kräfteverhältnisse beginnen sich umzukehren. Die Pubertierenden fangen an, die Überlegenheit der Eltern kritisch zu hinterfragen. Sie betreten damit eindeutig den Höhenweg wachsender Souveränität, während älter werdende Eltern vermehrt den Abstieg vor sich sehen und, wie Simons Vater, dies unter dem Aspekt von angstvollem Verlust erleben. Simons Vater weiß, dass er den Zenit seiner aktiven Leistungsfähigkeit, die für ihn Garant von Autonomie und Wert ist, bereits überschritten hat. Ein positiver Lösungsansatz wäre, das eigene Lebensskript seinerseits kritisch zu hinterfragen und die Einseitigkeit seines nur auf Aktivität und Leistung ausgerichteten Lebensentwurfs zu erkennen. Dazu gehört, eigenen passiven Seiten Raum zu gewähren, zu verweilen, sich Muße zu erlauben. Im praktischen Umgang mit dem Sohn würde dies bedeuten, nicht nur Monologe, sondern Dialoge zu führen; zu lernen, bezogen zu hören, statt die eigenen Erkenntnisse als objektive Wahrheit zu verkünden und zu erwarten, dass sich die Umwelt danach richten werde. Fragen, die Simons Vater in diesem Lernprozess stellen müsste, könnten heißen: „Bin ich tatsächlich nur ein leistender, erfolgsorientierter Workaholic? Gibt es Interessen, die ich ein Leben lang zurückgestellt habe? Tue ich etwas für meinen Körper, oder behandele ich ihn wie eine Maschine, die zu funktionieren hat? Was lebe ich meinem Sohn vor?" Vielleicht könnte sich aus diesen Fragestellungen heraus als lösende Antwort der Vorsatz ergeben, zusammen mit dem Sohn eine regelmäßige sportliche Tätigkeit auszuüben, Freude an der gemeinsamen körperorientierten Beschäftigung zu gewinnen und dabei gleichzeitig gestaute Affekte abzureagieren, statt das Gegenüber als Prellbock für die aggressiven Impulse zu missbrauchen. Auch für Simons Vater sollte, ähnlich wie für den Sohn, als positives Resultat seiner Krise die Erkenntnis stehen: „Auch das bin ich selbst."

Lösung heißt, loyale Bindungen zu lockern (Anna)

Kinder wie Anna übernehmen in der Familiendynamik häufig eine zentrale Rolle. Mit ihrem Sein und Tun bringen sie Farbe in das Leben der Eltern, das möglicherweise sonst zunehmend von Rückzug, Düsterkeit und Vereinsamung bestimmt wäre. Anna muss lernen, darauf zu vertrauen, dass Eltern auch ohne die vitalen Impulse einer Tochter überleben können. Das bedeutet für sie jedoch auch einen erheblichen Machtverlust, indem sie darauf verzichtet, Aufsehen erregend im Mittelpunkt zu stehen. Der Entwicklungsimpuls für Anna besteht darin, die freiwerdenden Kräfte für die persönliche Lebensgestaltung einzusetzen, eigene Aufgaben zu sehen und diese bestmöglich und eigenständig zu lösen. Wenn sie sich zur Selbstverantwortung entschließt und das Fühlen und Denken der Eltern vom eigenen abzutrennen sucht, könnte sie sich aus der wenig fruchtbaren Diskussion mit den Eltern herauslösen. Statt sich in unauflöslicher Loyalität mit den Eltern zu verwickeln, bestände ein positiver Lösungsansatz darin, den Kontakt mit Gleichaltrigen zu entwickeln und sich hier die Wertschätzung ihrer individuellen Persönlichkeit zu erkämpfen.

Die Eltern zu verlassen, kann für das innere Erleben häufig einem Treuebruch gleichen. Hier braucht Anna Bestätigung und Entlastung gleichermaßen. Dann kann sie es wagen, überkommene Loyalitäten zu kündigen, ohne sich selbst der Lieblosigkeit bezichtigen zu müssen. Auf der praktischen Ebene erreicht man dieses Ziel gelegentlich durch ein paradoxes Verhalten: Anna sollte es wagen, an die Stelle der durch Reibung erzeugten aufgeheizten Nähe mit den Eltern Begegnungen einer harmlosen, freundlich entspannten Kommunikation zu setzen: Ein gemeinsamer Kinobesuch, ein Spaziergang, ohne dass groß Probleme gewälzt werden, ein entspannender Klatsch über andere, begleitet vom Wissen, dass auch andere über die eigene Person klatschen, schaffen eine freundlichere Gemeinsamkeit, die weniger fesselt als wütende Kritik. Anna ist eine vitale, aktive Persönlichkeit, darum ist ihr dieser erste Schritt einer Veränderung der Beziehung, die den Lösungsprozess in Gang setzt, zuzutrauen.

Lösung heißt, sich nicht über die Funktion, sondern über die eigene Person zu definieren (Annas Eltern)

Ältere Eltern wie die von Anna lösen ihre von subjektiver Hilflosigkeit und Empfindungen der Resignation geprägte Krise, indem sie erkennen, dass ihr Wert sich nicht mehr in ihrer Funktion als Eltern bemisst, sondern in der eigenen Person liegt. Nicht das gute Handeln in der Rolle von Mutter und Vater steht jetzt als Lebensaufgabe im Vordergrund, sondern die Frage nach der eigenen Persönlichkeit, die bewusste Entwicklung von Identität als Frau, als Mann, als Paar in einem neuen Lebensabschnitt, der nicht mehr zentral vom Elternstatus geprägt ist. Annas Eltern müssten jetzt vermehrt den Akzent auf die Frage legen, wo die eigenen Ängste und Hoffnungen, aber auch die individuellen Wünsche hinsichtlich der Zukunft liegen. Was ist mir als Mutter, als Vater für die eigene weitere Entfaltung Anliegen, wo muss ich aufgrund meines Alters lernen zu verzichten, weil manches vorbei ist, und wo kann ich gewinnen, weil es genau jetzt Zeit dafür ist?

Beide Eltern sind in der Lösung ihrer durch die Wechseljahre aktualisierten Krise aufgerufen, sich mit ihren eigenen dunklen Seiten auseinander zu setzen. Beider Selbstbild ist geprägt von der Vorstellung, vor allem lieb, hilfsbereit und freundlich zu sein. Aber der Mensch ist nicht nur hell. Die Entwicklungschance läge für sie in dem Bemühen, die eigenen aggressiven Seiten kennen zu lernen und sie im Umgang mit der Tochter ebenso zuzulassen wie im Kontakt mit der Umwelt. Ein neues Motto könnte für sie sein: Mut zur Wut. Diese ist ja nicht allein Ausdruck unbeherrschbarer

Affekte, sondern auch der einer vitalen Kraft, die in neue, fruchtbare Bahnen gelenkt werden will. So entsteht die Bereitschaft, eine eigene Meinung zu haben und sich von der Erwartung des Kollektivs abzusetzen. So entsteht aber auch individueller Freiraum, der es erlaubt, das Leben nach den eigenen Bedürfnissen zu führen und sich nicht von einem anonymen „man" steuern zu lassen. Ein Ergebnis dieser veränderten Lebensgestaltung wäre mehr Freude am Leben statt enttäuschtem Rückzug, mehr Frohsinn statt leidendem Vorwurf, mehr Frische in der Bewältigung des Alltags.

Speziell für Annas Mutter läge eine weitere lohnende Möglichkeit darin, bestimmten Interessen nachzugehen, seien es künstlerische Kurse, das Auffrischen oder Erlernen einer Sprache oder unter Umständen auch die Bereitschaft, sich nochmals auf ein neues berufliches Abenteuer einzulassen. In jedem Fall erweitern sich die eigenen Kreise. Es entwickeln sich Kontakte mit Gleichgesinnten und dadurch Anregungen, das Leben in einer neuen Altersphase aktiv zu gestalten, statt Entschwundenem hinterherzutrauern.

Lösung heißt, sich für Eigenverantwortlichkeit zu entscheiden (Alexander)

Pubertät ist ein hochexplosives Spannungsfeld. Die Minen sind Autonomiewünsche und Abhängigkeitsbedürfnisse, Ängste vor Eigenständigkeit und kindlicher Verwöhnungsanspruch. Jugendliche wie Alexander spüren diese Zwickmühle, die durch eine über die Zeit währende unangemessene Verwöhnungshaltung in ihrer Problematik verschärft wird. Er muss, um nicht zwischen den gegenläufigen Impulsen zerrieben zu werden, lernen, sich für einen Schritt nach vorn oder einen Schritt zurück zu entscheiden. Bloßes Verharren führt zu perspektivloser Stagnation, der Pattsituation im Schach vergleichbar. Diese Situation formuliert er deutlich, wenn er seine Position sieht und nur im Konjunktiv formuliert, was er tun müsste, statt sich zur Tat aufzuraffen. Eine progressive Entwicklung fordert ein „ja" zur selbstgesteuerten Initiative, damit aber gleichzeitig einen weitgehenden Verzicht auf Bemutterung. Entscheiden heißt für Alexander darüber hinaus, sich aufzumachen und zu suchen, statt passiv auf den idealen Fingerzeig von außen zu warten. Entscheidung zwingt zur Eindeutigkeit, fordert Verbindlichkeit und formt damit eine Persönlichkeit, die nach eigener Wertung am rechten Punkt handelt.

Was bedeutet das für Alexander konkret? Angesichts der Tatsache, dass ihm seine Mutter die Sorge für sich selbst, Aufgaben und Verantwortung in falsch verstandener Mütterlichkeit abgenommen hat, konnte er die Freude an eigenständig erbrachter Leistung als lohnendes Ziel nicht verinnerlichen. Stattdessen hat sich körperliche und geistige Trägheit ausgebreitet, die jede wirkliche Anstrengung in der Vorstellung zu einem unüberwindlichen Hindernis macht. Veränderung und damit eine Lösung der festgefahrenen Situation kann nur der Aufbruch in die äußere und innere Regsamkeit bringen: Aufgaben selbst sehen und erledigen, statt Forderungen zu verweigern und sich damit in einer Scheinaktivität zu gefallen; die verwöhnte Pascha-Haltung aufgeben und zu Hause durch Übernahme von Haushaltspflichten dienen, statt sich bedienen zu lassen. Es sind Kleinigkeiten, die eine Veränderung der Familienatmosphäre bewirken können. Wenn sich Alexander daran gewöhnt, sich nicht mehr wie selbstverständlich an den gedeckten Tisch zu setzen und das Essen zu kritisieren, sondern vielmehr ihn selbst zu decken und mindestens einmal in der Woche für eine Mahlzeit zu sorgen, wenn er einen Teil der Einkäufe übernimmt, statt die Mutter in ihrer scheinbaren Bequemlichkeit an den Pranger zu stellen, kann diese ihr Gefühl, Opfer zu sein, schrittweise revidieren. Vorwürfe, Anklagen und Verteidigung werden unnötig und machen Raum für einen sachlicheren Umgang miteinander. Dieser wiederum entspannt die Stimmungslage bei allen von ihrer subjektiven Krise zusätzlich belasteten Beteiligten.

Die Schulsituation kann Alexander nur dadurch wirksam verändern, dass er sich unter Mithilfe einer neutralen Person – hier eignen sich am besten Schüler aus der Oberstufe, weil sie im Gegensatz zu Autoritätsfiguren, die im Pubertierenden zunächst Opposition hervorrufen, zur Identifikation herausfordern – zu einer nüchternen Bestandsaufnahme seiner Kenntnisse entschließt und dann einen Arbeitsplan entwickelt, der den Tag strukturiert und ihn an eine konsequente Arbeitshaltung gewöhnt. Alexander sollte damit die Möglichkeit haben, Lust- und Realitätsprinzip in ein angemessenes Verhältnis zu bringen, so dass er aus der Unzufriedenheit mit sich und der Welt herauswachsen kann. Halt gebende Erkenntnis in diesem Nachreifungsprozess wäre: „Wenn du willst, dass sich die Situation ändert, musst du dich ändern."

Lösung heißt, sich vom Opferstatus zugunsten selbstbewussten Seins zu verabschieden (Alexanders Mutter)

Alexanders Mutter neigt, wie so manche Mutter in den Wechseljahren, dazu, alles tun zu wollen, damit es dem „Kind" nur ja gut geht. Ein Motiv dafür mag sein, dass unterschwellig häufig geheime Ängste bestehen, den Zugang zum und Verständnis für das Kind aufgrund des größeren Altersabstandes noch stärker zu verlieren: „Es ist einfach leichter, mit Kindern als mit Jugendlichen zurechtzukommen", meint sie im Gespräch nachdenklich. „Wenn man für ein Kind gut sorgt, wenn es das zu essen bekommt, was ihm schmeckt, wenn man ihm sagt, was es zu tun und zu lassen hat, dann gibt es kaum Probleme. Sie akzeptieren einen, egal, wie alt man ist. Wenn Alexander von seinen scheintoten Lehrern spricht und ich auf Nachfrage feststelle, dass sie oft eher noch jünger sind als ich, dann bin ich verletzt und fühle mich unsicher."

Die Problematik von Alexanders Mutter liegt jedoch noch in einem anderen Spannungsverhältnis begründet: Aufgrund ihres fortgeschrittenen Alters verfügt sie über mehr Wissen, mehr Reife, mehr Bereitschaft, sich auf die Bedürfnisse eines Kindes einzustellen als manche junge Mutter, die sich durch ein Kind in der Verwirklichung noch ungelebter Bedürfnisse eingeschränkt fühlt und im Jugendlichen vielleicht eine bedrohliche Konkurrenz sieht. Andererseits ist gerade Alexanders Mutter in der Gefahr, ihr Tun mit dem Anspruch ihrer unersetzlichen Bedeutung zu überfrachten, wodurch sie sich vordergründig unentbehrlich macht, gleichzeitig aber rasch in die Rolle des dienenden Opfers rutscht: „Wenn ich es nicht tue, wer tut es dann?"

Über die Rolle der tätigen, dem Kind jederzeit zur Verfügung stehenden Märtyrerin verfestigt sich jedoch auch ihre mütterliche Macht. Die dadurch entstehende Abhängigkeit drückt sich darin aus, dass ihr Sohn auf die vollkommene Versorgung angewiesen ist, sie jedoch gleichzeitig entwerten und damit in ihrer Bedeutung relativieren muss, wie Alexanders Äußerungen sichtbar machen.

Die Wechseljahre bieten Alexanders Mutter die Chance, diese Rolle endgültig aufzugeben und damit vor allem auf jenen Machtaspekt zu verzichten, der die Illusion von immerwährender Jugend und nie heranwachsenden Kindern nährt. Nicht mehr ausschließlich Pflichterfüllung sollte länger im Vordergrund stehen, sondern der Zugang zu einer neuen Lebensgestaltung, die auch Raum gibt für Lust, Freude und mehr Unbekümmertheit. Und wie kann das im Fall von Alexanders Mutter aussehen? Statt in vorwurfsvollem Ton von den Möglichkeiten zu sprechen, die sie hätte, wenn Alexander ihr nicht mehr so viel Sorgen machte, sollte sie diese verwirklichen. Sie sollte es wagen, den eigenen Bewegungsradius zu erweitern, Erlebnisschwerpunkte außerhalb der eigenen vier Wände zu suchen, um sich von der Fixierung auf den Sohn zu befreien. Damit könnte sie auch die Erfahrung größerer innerer Freiheit machen, die darin besteht, neben der Erfüllung von Pflichten auch den Genuss von Muße und freier Zeit kennen zu lernen, also ohne schlechtes Gewissen nichts zu tun, Zeit zu haben, loszulassen und gerade in dieser Haltung eine neue Dimension des Lebens, die Gelassenheit, zu entdecken.

Eine konkrete Hilfestellung, die sich Alexanders Mutter selbst geben könnte, wäre z. B., ihre Freizeit zu ritualisieren: Regelmäßig spazieren zu gehen, die Bilder der sich im Jahreslauf verändernden Natur in sich aufzunehmen, die Gedanken ziellos schweifen zu lassen, die Woche durch ein leichtes Bewegungs- und Ausdauertraining wie Joggen, Walking oder Schwimmen zu strukturieren und dabei vielleicht andere Frauen in ähnlichen Lebenssituationen zu treffen. Der Austausch über ähnliche Leiden im Umgang mit den jugendlichen Kindern verbindet über alle Altersschranken hinweg und ermöglicht es, weibliche Solidarität zu erfahren, an der es in einem männerdominierten Haushalt häufig mangelt. Solche Ansätze einer eigenständigen Lebensgestaltung wiederum würden einen Alexander ebenso wie viele Pubertierende in ähnlicher Lage aus schuldhaft erlebter Verstrickung mit einer in Fürsorge bindenden Mutter befreien.

Lösung heißt, Schönheit als Gesamtheit von Körper, Geist und Seele zu begreifen (Patricia)

Patricias dringender Wunsch nach ebenmäßiger Schönheit entspricht dem vieler Altersgenossinnen. Die Werbung mit ihren Pauschalisierungen und subtilen Suggestionen tut das ihre, um das durch die pubertären Veränderungen strapazierte Selbstbewusstsein in die Einbahnstraße äußerer Makellosigkeit, die durch entsprechende Garderobe unterstützt wird, zu lenken. Da aber Schönheit kein unveränderlicher Wert ist, sondern durch viele äußere Faktoren unaufhörlich beeinträchtigt zu werden droht, kann Patricia durch Pflege und Betonung des Äußeren allein nie die Stabilität des Selbstwertgefühls erreichen, derer sie so dringend bedarf. Sie braucht zur Lösung ihrer Konfliktsituation Ermunterung und Ermutigung zum Umdenken. Die Betonung des Äußeren, der Anspruch, „in" zu sein, sollte schrittweise ergänzt werden vom Wissen um innere Schönheit. Schönheit meint den Körper, aber nicht nur ihn. Schönheit schließt in sich die Entwicklung eines individuellen Profils in all seinen Facetten.

Aber wie kann ein junger Mensch diese Gedanken zu einer ihn selbst überzeugenden Erfahrung machen? Patricia müsste einen Schritt aus der narzisstischen Selbstbetrachtung herausmachen. Nicht so sehr die Frage nach der eigenen Schönheit, sondern nach der Schönheit der Welt könnte hier ein erster Schritt sein. So kann ein erster praktischer Lösungsansatz darin bestehen, das eigene Zimmer nach den persönlich gefärbten ästhetischen Gesichtspunkten einer Jugendlichen neu zu gestalten. Das bedeutet, sich eine Hülle zu schaffen, in der man sich wohl fühlt. Dabei soll nicht etwa eine Konsumhaltung unterstützt werden, sondern die Eigeninitiative, so dass Patricia beispielsweise selbst einen Pinsel in die Hand nimmt und die Wände in ihrer Lieblingsfarbe streicht. Eine schöne Umgebung kann eine labile Stimmungslage positiv beeinflussen. Vielleicht ließe sich das zweifellos vorhandene ästhetische Bewusstsein einer Patricia nutzen, indem sie Anregungen für eine mögliche Umgestaltung der Wohnung geben darf, die so zum äußeren Zeichen der inneren Veränderungen von Pubertät und Wechseljahren werden kann. Eine Jugendliche kann sich dann sowohl ernst genommen fühlen als auch sich selbst ernst nehmen im stolzen Bewusstsein: „Das ist mein Werk."

Schön sein im Sinne des Wohlgefühls entsteht auch durch schönes Tun, wie z. B. Balletttanzen oder aktiv betriebenes Musizieren. Schönes Tun kann sich auch über ein Hobby wie das Reiten oder über die Pflege und den Umgang mit Haustieren, vom Meerschweinchen bis zum Hund, vermitteln. Und schließlich ist Schönheitspflege auch die Teilnahme am geistigen Leben. Bücher bieten Trost und Verständnis an. Sie sind darüber hinaus aber auch Träger geistigen Kulturgutes, eines Bereiches, der sich einem Jugendlichen mehr und mehr als Begleiter auf dem Weg zu innerer Schönheit über die Pflege der Geistesgaben anbietet.

Und schließlich könnte Patricia auch über schönes Tun für andere Neuorientierung finden: Babysitten ist eine wichtige Bestätigung hinsichtlich bereits vorhandener eigener Kompetenz. Gleichzeitig ist die Erfahrung, Hilflosen Hilfestellung geben zu können, Selbsthilfe im Aufbau von Selbstsicherheit – Seelenpflege im wahrsten Sinne des Wortes. Eine ähnlich positive Wirkung könnte Patricia erleben, wenn sie sich älteren Menschen zuwenden würde: ein freundliches Wort, das Tragen einer Tasche, die Unterstützung beim Überqueren der Straße, all das sind auch Ansätze für die Schönheitspflege der eigenen Seele. Es ist ein manchmal dorniger, aber immer spannender Weg mit dem Ziel der individuellen Schönheit, die dann zum Ausdruck des schöpferischen, sich ständig wandelnden Lebens wird. Es ist eine Schönheit, die an kein Lebensalter gebunden ist, weil sie sich im Unterwegs-Sein ständig neu formt.

Schönheit ist gepflegte äußere Erscheinung und ansprechende Kleidung, Schönheit ist in der Auseinandersetzung mit geistigen Werten gewonnene Bildung, Schönheit ist Entwicklung von seelischer Reife, die sich in Großzügigkeit, Toleranz, Güte, Mitmenschlichkeit, Liebesfähigkeit zu sich selbst und zu anderen zeigt. Mit großen Worten allein ist Patricia jedoch ebenso wenig zu erreichen wie andere Jugendliche. Man könnte sie aber zu einer Entdeckungsreise ins Reich der Schönheit einladen und behutsame Begleitung anbieten.

Lösung heißt, die kindliche Abhängigkeit von der eigenen Mutter endgültig aufzukündigen (Patricias Mutter)

Für Mütter in den Wechseljahren stellt sich die Herausforderung, ihr eigenes Verhältnis zu den Eltern neu zu überprüfen. Selbst wenn diese tot sind, kann ihre Dominanz noch spürbar sein und alternde Eltern in einer kindlichen Position fixieren. Dies führt in der Konsequenz nicht selten zu einem Rivalitätsverhältnis mit den eigenen Kindern. Man gebärdet sich wie eine ältere Schwester, die von der jüngeren nicht überflügelt werden will: „Du darfst nicht schöner werden als ich." Das Attribut „schön" ist dabei als Synonym dafür zu verstehen, dass die Tochter nicht weiterkommen darf als man selbst. Die sich aus dem Leiden an der Krise herausschälende Aufgabe für Patricias Mutter ist jedoch nicht, die Entwicklung der Tochter zu bremsen, sondern die eigene Stagnation zu erkennen und den Prozess des Erwachsenwerdens nachzuholen. Wie kann das aussehen?

Patricias Mutter entdeckte gerade im Spiegel der Auseinandersetzungen mit der Tochter, wie schwer sie sich ihrerseits von der eigenen Mutter abgrenzen kann. Der notwendige Entwicklungsimpuls für sie heißt einerseits, der herrschsüchtigen Mutter den bedingungslosen Gehorsam zu verweigern. Dies ist für Patricias Mutter ein kräftezehrender Schritt, weil sich über nahezu 50 Jahre ein regelrechtes Gewohnheitsrecht eingespielt hat. Es wird also nicht ohne klare Worte, ohne Heftigkeit, ohne Streit gehen, was gehorsame Töchter immer wieder neu in Schuldgefühle stürzt, umso mehr, wenn alte Damen als letzte Waffe mit ersterbender Stimme ihren nahen Tod ankündigen.

Indem Patricias Mutter die Tochterrolle aufkündigt, der sie altersmäßig längst entwachsen ist, kann sie die der reifen Erwachsenen für sich entdecken und neu besetzen. Dies bedeutet vor allem, ohne Druck und ohne Schuldgefühl nach dem eigenen Leben zu fragen und sich nicht zwischen den Polen, Mutter und Tochter zu Diensten zu sein, aufzureiben. Im Gespräch berichtete sie von diesem neuen Weg und von dem Glücksgefühl, das sie in stundenlangen einsamen Spaziergängen erfüllte, wenn sie sich dieser ihrer Gestaltungsfreiheit bewusst würde. Sie bewegt Pläne, einen umfassenden EDV-Kurs zu machen, um sich auf den Wiedereinstieg in die Berufstätigkeit vorzubereiten. Sie hat sich einer Gruppe engagierter Frauen angeschlossen, die regelmäßig Künstler bei ihrer Arbeit besuchen; sie ist dabei, einen Literaturkreis für interessierte Frauen und Männer ins Leben zu rufen. „Ein bisschen muss ich aber auch noch nachholen, was ich als junge Frau nicht gewagt habe. Meine Tochter zieht zwar missbilligend die Stirn kraus, aber diese heißen Oberteile muss ich einmal getragen haben! Früher hätte ich das im Angesicht meiner Mutter nie gewagt."

Ihre eigenständigen Aktivitäten werden Patricias Mutter in erfüllenden Weise beschäftigen und gleichzeitig einen heilsamen Abstand zur Tochter und deren Auseinandersetzungen mit dem jüngeren Bruder schaffen. Der innere Aufbruch der Mutter tut der Geschwisterbeziehung gut, aber auch dem Familienklima insgesamt, das heiterer und entspannter werden kann.

Zukunftsperspektive für Patricias Mutter ist eine innere Reife, die der Tochter als Vertreterin der nächsten Generation mehr und mehr den zentralen Wirkungsraum überlässt, sich aber gerade mit diesem Zurücktreten für die Freude an der Entwicklung der Tochter zur jungen Frau öffnen kann. Dazu Patricias ermutigende Beobachtung: „Meine Mutter kauft sich zwar weiterhin die gleichen T-Shirts, die ich für mich entdeckt habe, aber trotzdem, ich glaube, sie lernt es. Neulich hat sie gesagt, so schön wie du bist, bin ich nie gewesen, und ich bin stolz auf dich und stolz darauf, dass ich deine Mutter bin. Das ist doch schon mal was!"

Lösung heißt, Konfliktfähigkeit zu entwickeln (Beate)

Eine Scheinlösung in der pubertären Krisensituation ist die Projektion. Über diesen Mechanismus fällt es leicht, eigene Fehler und Schwächen ausschließlich bei den Eltern zu sehen und sie dort vehement zu bekämpfen. Die positive Entwicklungschance liegt in einem Verzicht auf jegliche Sündenbockstrategie, um stattdessen mit wachsendem Selbstbewusstsein vor der eigenen Tür zu kehren. Nicht Probleme zu haben ist ein Fehler, sondern sie anderen anzulasten und sich in Schein-Heiligkeit zu sonnen.

Für Beate ist die pubertäre Krisensituation geprägt von einer andauernden Konfliktsituation mit der Mutter, die jedoch von ihr nicht wirklich ausgehalten wird. Sie versucht, die Spannungssituation über die Ersatzbefriedigung aufzulösen, verstärkt damit jedoch den Teufelskreis von Autonomiewünschen und Abhängigkeitsängsten, die man aber umgekehrt ebenso gut als Ängste vor Autonomie und Wünsche nach Abhängigkeit bezeichnen könnte. Die entstehende Ambivalenz zwischen Wünschen nach Anpassung und Nähe zur Mutter einerseits und dem Bedürfnis nach Abgrenzung andererseits kann nur über die lautstarke Auseinandersetzung gelöst werden. Damit wird die innerpsychische Spannungssituation bewusst in ein äußeres Drama umgemünzt, wodurch für die Pubertierende Handlungsspielraum entsteht. Die damit verbundene Entlastung erlaubt eine neue Standortbestimmung auch hinsichtlich des inneren Dilemmas.

Ein konstruktiver Lösungsansatz für Beate läge darin, den Mut aufzubringen, die Spannung mit der Mutter ohne schlechtes Gewissen und daraus resultierende Kompensationen auszuhalten. Ein solcher Schritt in die Progression wird seitens der Mutter unterstützt, wenn diese ihre eigene Trauer über das Ende der harmonischen Verbundenheit in der Kindheit anerkennt und der Tochter aggressiv getönte

Abgrenzung nicht nur zugesteht, sondern sie gelegentlich sogar dazu ermuntert. Die Andersartigkeit eines Individuums, das sich gerade erst entpuppen will, braucht bestätigende Akzeptanz, was jedoch nicht in eine sich anbiedernde Haltung münden sollte. Damit würde das offene Austragen der Konflikte letztlich wiederum vermieden. Es darf, es muss gestritten werden, auch lautstark. Erst nach einer Auseinandersetzung kann „Zusammensetzung" erfolgen, etwa indem Mutter und Tochter feststellen, dass ihnen der Kragen geplatzt ist: Individuelle Bedürfnisse prallten aufeinander, weil beide aus ihrer Sicht berechtigte Ansprüche durchsetzen wollten.

Die bisherige Konsequenz solcher Auseinandersetzungen zwischen Beate und ihrer Mutter war Entzweiung, weil beide Seiten auf ihrer Perspektive beharrten und nicht bereit waren, sich in die Position des anderen so einzufühlen, als sei es die eigene. Doch erst wenn dieser Schritt gelingt, ist der Boden für Kompromisslösungen bereitet. Indem eine Streitkultur gepflegt wird, können Akzeptanz und Toleranz wachsen. Beate lernt, ihrer Mutter schuldfrei zu begegnen, so dass Wiederannäherung auf der Ebene weiblicher Solidarität erfolgen kann. Dann wird auch das kompensatorisch zu betrachtende übermäßige Essen von Süßigkeiten unnötig werden, und Beate kann es wagen, über eine Versöhnung mit der Mutter ein positives weibliches Rollenbild aufzubauen, mit dem sie sich identifizieren kann.

In ihrer verbalen Begabung, in ihrer seitens der Mutter beklagten Bereitschaft zur dramatischen Selbstinszenierung hat Beate aber noch eine weitere praktische Möglichkeit, Konflikte zu lösen. Gerade weil sie positive Resonanz von außen braucht, weil sie auf dem Hintergrund ihrer verschlungenen Geschichte endlich gesehen werden möchte, böte sich eine Schauspiel-Arbeitsgemeinschaft an. Dramatisches Agieren ist hier ausdrücklich erwünscht, gekonnte Selbstdarstellung Voraussetzung für ein überzeugendes Spiel und damit Erfolg. So wird das aufgeladene Bedürfnis nach

Wirkung sinnvoll befriedigt und ist darüber hinaus immer neu belebende Quelle, um Selbstwertgefühl aufzubauen.

Das Erkennen von ambivalenten Empfindungen, das Leiden am Aufeinanderprallen widerstreitender Impulse gehört als Entwicklungsschritt zur Bewältigung der pubertären Krise. Eindeutiges, ruhiges und gelassenes Sein zu entwickeln verlangt zusätzlich liebevolle Bestätigung seitens der Eltern. Bewertung oder Verurteilung verfestigen dagegen die Krise.

Lösung heißt, Selbstvorwürfe in positive Aktivität umzumünzen (Beates Mutter)

Für Eltern und insbesondere Mütter in den Wechseljahren liegt es nahe, vermehrt in die Vergangenheit zurückzuschauen. Es ist allerdings wenig sinnvoll, in Selbstanklagen oder Schuldgefühlen zu versinken, denn so redlich und ehrenhaft es erscheint, sich Vorwürfe zu machen, so ist es letztlich doch ein fruchtloses Kreisen um die eigene Person, das kaum konstruktive Kräfte freisetzt, um die Wechseljahre als Umsteigestation auf ein anderes Gleis zu nutzen. Schuldig geworden zu sein, ohne es sich zu verübeln, wahrzunehmen, dass das Erkennen früherer Fehler zunehmende Reife signalisiert und sich einen Standpunkt zu erlauben, dem die Überzeugung zugrunde liegt: „Ich habe es so gut gemacht, wie es mir im Rahmen meiner damaligen Gegebenheiten möglich war" – das wäre die Perspektive eines reifen Erwachsenen, der sich annehmen kann, wie er ist.

Beate weiß jedoch sehr gut auf der Klaviatur der mütterlichen Schuldgefühle zu spielen, aber sie macht sich darüber hinaus Gedanken: „Ich weiß schon, wie ich meine Mutter kriege. Wenn ich ihr erkläre, sie sei die schlechteste Mutter und hätte lieber weiter berufstätig sein sollen, statt noch Kinder in die Welt zu setzen, dann bricht sie in Tränen aus und macht alles, was ich will. Das ist einerseits ja schon ganz angenehm, aber lieber wär's mir eigentlich, sie würde nicht so erpressbar sein, sondern zu dem stehen, was sie getan hat. Im Grunde finde ich es auch eine gute Sache, wenn Mütter nicht so furchtbar jung sind, wenn sie Kinder kriegen. Ich glaube, dass sie es auf irgendeine Art dann ehrlicher mit ihren Kindern meinen, ich kann nicht so recht sagen, warum ich das Gefühl habe, aber ich glaube das einfach."

Für Beates Mutter könnte dieser Satz hilfreich sein, um eine neue Position zu beziehen: Hierzu gehört auch, der Tochter die Stirn zu bieten und zu den damaligen Lebensentscheidungen zu stehen. Dann wäre Beate sicher in der Lage, auch ihr diese versöhnlichen Worte zu sagen. Zu eigenen Haltungen zu stehen, selbst wenn sie nicht immer sofort von der Tochter gebilligt werden, würde Grenzen abstecken, die Beate als Orientierung für ihr eigenes Tun schrittweise akzeptieren könnte. Eine Unterstützung in diesem Zusammenhang ist die Äußerung von Beates Vater: „Ich höre auf damit, alles zu tun, um von den Kindern geliebt zu werden. Ich lerne, das zu tun, was ich für richtig halte und stehe auch dazu." Ein weiterer Impuls für Beates Mutter könnte darin bestehen, die Gegenwart lebendig zu gestalten und sich in der eigenen Haut wohl zu fühlen, statt immer wieder erstarrt rückwärts zu blicken. Dann bräuchte sie Beate nicht mehr zur Selbstbestätigung, könnte sie lassen und müsste sich nicht mehr durch ihre Person, ihr Aussehen und Verhalten provoziert fühlen. In der schuldfreien Konzentration auf die eigene Person kann auch die Bereitschaft wachsen, sich wieder einer lebendigen Gestaltung der Partnerschaft zuzuwenden, statt in Scham und Schuldgefühl auf ihre Mutterrolle zu starren.

Ähnlich wie Beate nach einem erfüllenden statt nach einem ausfüllenden Gehalt sucht, sollte auch Beates Mutter die Suche nach ihrem Selbst aufnehmen. Hierzu gehört die Frage nach den inneren Sehnsüchten, die sich vielleicht erst in einer Distanzierung von der aktuellen Situation entdecken lassen. Manchmal tut eine kurze oder auch längere Reise gut. Die Familie schätzt den mütterlichen Einsatz wieder mehr, wenn ihre Abwesenheit die Lücke, die sie hinterlässt, offenbart. Eine Reise verschiebt die Schwerpunkte, öffnet äußerlich neue Perspektiven, die nicht selten Anstoß sind, auch auf die aktuelle Lebenssituation einen neuen Blickwinkel zu gewinnen. Nicht die Frage nach dem Entschwundenen, sondern die nach den neuen Möglichkeiten könnte so mehr und mehr in den Mittelpunkt des Denkens und Fühlens treten. Für Beates Mutter besteht zusätzlich das Angebot, im Betrieb des Mannes einen selbstverantwortlichen Posten zu übernehmen, den sie aufgrund ihrer Kenntnisse und Fähigkeiten sehr gut ausfüllen könnte. Auf diese Weise träte zwangsläufig die äußere Versorgung der Kinder und das Streben nach dem Status einer guten Mutter in den Hintergrund. Erfolgserlebnisse, Wertschätzung durch die Kollegen und nicht zuletzt eine Annäherung an die beruflichen Interessenssphären des Partners könnten so zu einem stabileren äußeren und inneren Gleichgewicht führen.

Lösung heißt, das eigene Leben ohne Angst vor Fehlern in die Hand zu nehmen (Felix)

Jugendliche in der Pubertät sind nicht nur aufsässige, anspruchsvolle, konsumorientierte, missmutig-vorwurfsvolle oder gar resignierte Kinder, sie beobachten vielmehr sehr genau, wie ihre Eltern sind. Sie sehen deren Einsatz und sind ihnen gegenüber häufig viel verständnisvoller und toleranter, als es vordergründig den Anschein hat. Sie schwanken jedoch zwischen solch einer positiven Wahrnehmung ihrer Eltern einerseits, die Freundlichkeit, Respekt und Zugewandtheit verlangt, und andererseits dem Bedürfnis, ihre eigene Persönlichkeit, ihr eigenes Profil, das sich notwendigerweise von den Eltern unterscheidet, zu entwickeln, um gegenüber Gleichaltrigen und zunehmend auch mit Blick auf das andere Geschlecht beziehungsfähig zu werden. Dabei besteht jedoch die Gefahr, immer wieder hin- und hergerissen zu sein zwischen diesen beiden gegensätzlichen Polen und keinen anderen Weg aus dem Dilemma zu finden, als auf der Stelle zu treten um damit symbolisch, wie der berühmte Esel, zwischen zwei Heuhaufen zu verhungern.

Jugendliche sollen in der Krisenzeit der Pubertät erkennen, dass eine positive Beziehung zu den Eltern nicht zwangsläufig eine eigenständige Entwicklung ausschließt und umgekehrt. Damit sie aber diese Erkenntnis wirklich umsetzen können, sind sie gezwungen, sich erst bewusst und auf ihre Weise aggressiv oder depressiv, protestierend oder verstummend abzugrenzen. Dies bei sich zu akzeptieren und es nicht als schuldhaften Fehler zu verbuchen, ist die notwendige Selbsterkenntnis auch von Felix in seiner persönlichen Krisensituation. In seinem über den stummen Rückzug sich ausdrückenden Protest hinaus sollte er wagen, seine Gefühle in Worte zu fassen, seine Tarnkappe gewissermaßen abzunehmen und sein „nein" klar gegenüber den überbesorgten Eltern auszusprechen. Damit wird er natürlich auch angreifbar, eine Tatsache, die ihn ebenso beunruhigt wie eine mögliche eigene Angriffsbereitschaft. Die Sprache (an-greifen) macht deutlich, dass es um eine Ebene der Berührung geht, wenn Felix sich emotional äußert, und genau das scheint er als eine Form von Aggression zu interpretieren. Gefühle in Sprache zu fassen, auch wenn sie mit denen der Eltern nicht übereinstimmen, bedeutet jedoch nicht zwangsläufig Beziehungsabbruch, sondern Unterscheidung, auch zwischen den Generationen. Eltern in den Wechseljahren und Jugendliche in der Pubertät trennt ein großer Altersabstand, der in der heutigen Zeit besonders zu Buche schlägt. Die notwendige innere Distanz zu den Eltern, vor allem in ihrer verantwortlich-sorgenden Funktion, kann Felix nur dann gewinnen, wenn er klar Position bezieht und sich damit aus kindlichen Abhängigkeiten löst. Das wiederum ermöglicht ihm die Aufnahme von Beziehungen zum anderen Geschlecht. Es ist wie im Märchen: Erst muss die Hexe in ihrer machtvollen Dominanz besiegt werden, dann ist der Weg frei, die verzauberte Jungfrau zu gewinnen.

Felix möchte die Mutter nicht verlassen und trotzdem eine feste Freundin haben. Diese Lösung ist eine Illusion. Erst der Schmerz des Abschieds bereitet die Basis für den Gewinn einer neuen Beziehung. So, wie Felix aus dem Schneckenhaus seines loyalen Verstummens kriechen muss, um frei atmen zu können, so muss er auch hinausgehen in die Welt, um potenziellen Freundinnen zu begegnen. Hierbei ist auch ein erhebliches Stück Trägheit zu überwinden. Er selbst sagt: „Ich sehe ja ein, dass ich etwas machen sollte, aber ich bin einfach so faul." Immerhin ein erster Schritt einer humorvoll getönten Selbsterkenntnis, dem weitere Schritte der Tat folgen können.

Und wie könnte solch eine Tat aussehen? Statt sich versorgen zu lassen, könnte Felix das befriedigende Gefühl, für andere zu sorgen, entdecken. Angesichts der alterstypischen ständigen finanziellen Engpässe kann es in doppelter Weise sinnvoll sein, sich z.B. als Babysitter zu erproben und dabei zu merken, dass die Fähigkeit zu liebevoller Verantwortung nicht nur mütterliche Domäne ist. Eine ähnlich positive Erfahrung vermittelt der Entschluss, jüngeren Kindern Nachhilfestunden zu geben und damit die eigene Kompetenz auch sich selbst gegenüber unter Beweis zu stellen. Die Erfahrung, geben zu können, von Jüngeren anerkannt und bewundert zu werden, ist wie ein lauer Regen, der träges eigenes Wachstum neu belebt.

Lösung heißt, einen erneuten Aufbruch zu wagen (Felix' Eltern)

Für Eltern in den Wechseljahren, die sich sehr bewusst auf Kinder eingestellt, sich mit Erziehungsfragen auseinander gesetzt und in innerer Bezogenheit zu den Kindern gelebt haben, stellt sich zu Recht die Frage nach dem, was bleibt, wenn die Kinder den schwierigen Loslösungsprozess aktiv wagen. Häufig haben sie ein Gefühl von innerer Leere und davon, unnötig, überflüssig zu sein. „Wie ein alter Topf", so Felix' Mutter, „der darauf wartet, als unbrauchbar erkannt und entsorgt zu werden."

Statt in Resignation und Entmutigung zu verfallen, fordert das Klimakterium jedoch von den Eltern, erneut einen Aufbruch zu wagen, der sie dazu bewegt, zu ihrer eigenen, älter werdenden Persönlichkeit zu stehen, wirklich bewusst anzuschauen, was ihnen bleibt und wo sie bleiben.

Für Felix' Eltern war ein von Anfang an bestimmendes Moment ihrer Partnerschaft der Wunsch nach Kindern, verbunden mit dem Versuch, diese in ihr aktives Berufsleben auf der Grundlage einer gleichwertigen Partnerschaft zu integrieren. Durch die Distanzierung der Kinder entsteht ein Vakuum, das mit neuem Inhalt versehen werden will. Dieser könnte in der aktiven Pflege der Partnerschaft bestehen, zu der Felix' Eltern früher keine Zeit fanden. Sie sind beide kulturell interessiert, so dass sich die Teilnahme an verschiedenen Veranstaltungen anböte: sich darauf zu freuen, gemeinsam ein Konzert oder das Theater zu besuchen und sich anschließend im Gespräch darüber auszutauschen, es sich wert zu sein, sich füreinander festlich anzuziehen, im gemeinsamen Genuss einen Gleichklang zu spüren, der sonst ausschließlich mit Hilfe der Übereinstimmung hinsichtlich der Kinder empfunden wurde. Ausstellungen, Kontaktpflege über Geselligkeiten, gemeinsame Reisen, all das kann zu neuen erfüllenden Inhalten werden, wie Felix' Eltern lebhaft bestätigen. „Aber wir werden nicht wie ‚Philemon und Baucis' leben", so Felix' Vater am Ende des Gesprächs. „Jeder von uns hat auch seinen eigenen Bereich, den muss jeder für sich selbst entdecken. Bei mir sind es mehr die Bücher, bei meiner Frau die Musik. Ich bin gespannt, ob sie wieder mit der Hausmusik anfängt wie zu der Zeit, als wir uns kennen lernten."

Um jedoch Zeit für diese neuen Schwerpunkte zu gewinnen und mit den nahezu erwachsenen Kindern eine spannungsfreiere Lebensgemeinschaft zu bilden, bis diese das Haus verlassen, sollte der Alltag neu geplant und strukturiert werden. Gerade weil beide Eltern berufstätig sind, müssen die Aufgaben im Haushalt mit einer eigenverantwortlichen Zuständigkeit jedes Betreffenden neu verteilt werden. Die zusätzliche Belastung für die „Kinder" wird ausgeglichen durch den Zugewinn an Freiraum, der dadurch entsteht, dass Schuldgefühle wegfallen und Freude an der Eigenverantwortlichkeit entsteht. Das ist ein wichtiger Gedankengang für Eltern, die es schwer haben, ihren Jugendlichen Aufgaben zu übertragen.

4. Der krisengeschüttelte Alltag und seine Bewältigung: Tipps für Eltern

Theoretisch ist Eltern von Jugendlichen vieles, was die Beziehung vergiftet, klar, und manchen auch der Weg, wie die Situation verbessert werden könnte. Nur die Umsetzung in die Tat stellt das eigentliche Problem dar. Es entspricht wohl dem physikalischen Trägheitsgesetz, dass Menschen so schwerfällig sind, wenn es um Veränderung geht, selbst wenn ein positives Ziel winkt: die Entspannung der jeweiligen Krisen und die Verbesserung der Kommunikation.

Trotz aller Trägheit, aller drohenden oder bereits eingetretenen Misserfolge lohnt es sich immer wieder, den Mut zu haben, alte und als fruchtlos erkannte Strategien aufzugeben und nach neuen Wegen zu suchen, die zum Miteinander statt zum Gegeneinander führen. Die Anstrengung, die auf die Eltern zukommt, ist im Vergleich mit den Pubertierenden die größere. Sie haben die längere Lebenserfahrung und damit verbunden den weitsichtigeren Blick. Darum müssen sie immer neu den Anstoß zur Veränderung geben und nicht in einer Haltung des Schlagabtauschs verharren oder aufrechnen, wie sehr sie sich für eine verbesserte Kommunikation eingesetzt und wie wenig doch die Heranwachsenden dazu beigetragen hätten.

Machtkämpfe mit Pubertierenden sind sinnlos, die elterliche Niederlage ist vorprogrammiert

Die Themen Ordnung, Sauberkeit und Pünktlichkeit, Ins-Bett-Gehen und Aufstehen, notwendige Pflichten statt Fun-Orientierung bilden das tägliche Schlachtfeld, auf dem die

Machtkämpfe mit Pubertierenden ausgetragen werden. Es ist voller versteckter Minen, die vor allem die Eltern in den Wechseljahren treffen. Sie sind in einem Alter, in dem man gewohnt ist, sich nach einem strukturierten Lebensplan zu orientieren. Das Chaos der Jugend liegt in weiter Ferne, und es fällt älteren Eltern offensichtlich schwerer, sich in diese Unstrukturiertheit einzufühlen, geschweige denn sie zu ertragen. Sie wird vielmehr als Rücksichtslosigkeit erlebt und löst nicht selten bei den Eltern Panik aus, weil das Gerüst, das sie sich als Hilfskonstruktion in der Bewältigung des Alltags aufgebaut haben, zu wanken droht. Die Folge sind nicht selten aggressive Forderungen, die zu fruchtlosen Machtkämpfen führen: Die Jugendlichen blocken ab, Druck löst Gegendruck aus. Die statt der gewünschten Anpassung eintretenden lautstarken Auseinandersetzungen und schlagfertigen Gegenargumente befördern die erschöpften Eltern schnell ins Abseits. Eine weitere Variante in diesem Kampf besteht darin, dass sich Pubertierende ihren Eltern verweigern, nicht hinhören bzw. sich taub stellen oder die Forderung der Eltern ignorieren, als ob diese Luft wären. Unzählige Kränkungen und Demütigungen handeln sich Eltern ein, wenn sie auf einer Überlegenheit bestehen, die bereits der Vergangenheit angehört. Es ist schwer zu akzeptieren, dass Pubertierende die frühere hierarchische Ordnung längst außer Kraft gesetzt haben und dass das Kräfteverhältnis von „oben" und „unten" sich nahezu ins Gegenteil verkehrt hat.

Eine Mutter, 53 Jahre, schildert eine Auseinandersetzung mit ihrem 16-jährigen Sohn Timo, der Grippe hatte und zwei Tage nicht in der Schule gewesen war. Am Abend des zweiten Tages trafen sich Mutter und Sohn auf der Treppe. Er, bereits in der Jacke, verkündete, er gehe jetzt in die Disco. Sie, völlig verdattert, sagte: „Das verbiete ich dir, du bist krank und gehörst ins Bett, schließlich warst du auch nicht in der Schule." Die Diskussion wurde immer erregter, immer lauter, keiner wich von seinem Standpunkt ab. Schließlich

sagte Timo: „Was ändert sich für dich, wenn ich einen Rück-
fall bekomme? Wirst du deshalb morgen nicht arbeiten gehen und stattdessen an meinem Bett sitzen, mich pflegen
und mir schöne Geschichten vorlesen?" Timos Mutter
kam ins Stottern und sagte: „Nein, natürlich nicht, dazu
bist du schließlich zu alt." Worauf er antwortete: „Siehst
du, ich bin zu alt, dass du mich wie ein Kind pflegst, lass
mich alt genug sein zu entscheiden, was im Augenblick gut
für mich ist. Werde ich erneut krank, muss ich die Konse-
quenzen tragen. Du hast Angst um mich. Das ist lieb von
dir, aber nicht mein Problem. Damit musst du fertig werden." Timos Mutter schloss: „Natürlich ist er gegangen,
und natürlich war er am nächsten Tag nicht mehr krank
und ging in die Schule. Das war für mich das entscheiden-
de Erlebnis, umzudenken und auf sinnlose Machtkämpfe,
die meiner Angst und Sorge entsprachen, zu verzichten. Ich
habe daran gelernt, dass, auch wenn ‚mein Kind' noch nicht
erwachsen ist, es sehr genau die eigene Befindlichkeit ein-
schätzen und auf meine Ermahnungen verzichten kann.
Das Ereignis war auch für unsere Beziehung eine Wende-
marke. Wir begegnen uns inzwischen mehr auf gleicher
Ebene und gehen lockerer miteinander um. Wenn der Pegel
aggressiver Machtkämpfe wieder zu steigen droht, genügt
oft das Wort ‚mein armes krankes Kind', das Timo hinwirft,
und ich muss lachen und kann mich zurücknehmen."

Aufbegehren gegen den Zahn der Zeit
ist sinnlose Kraftvergeudung

Der Protest, den die Jugendlichen den Eltern gegenüber ausleben, spiegelt möglicherweise deren uneingestandenen Protest gegen die in den Wechseljahren unübersehbaren „Spuren
eines gelebten Lebens". Die fadenscheinige Behauptung,
man sei „so alt, wie man sich fühlt", entpuppt sich als reines
Abwehrmanöver gegen das, was in den Augen der Kinder

abzulesen ist: „Du bist alt! (Und ich bin jung!)" Nicht selten wird aber die Tatsache des Alters als etwas erlebt, was mit Schuld gleichzusetzen ist. Vielleicht, weil sich in den Wechseljahren vermehrt die Frage nach dem „wie" der bisherigen Lebensgestaltung stellt. Hat man wirklich das Wesentliche im Auge gehabt, ist es jetzt für die Verwirklichung von geheimen Sehnsüchten zu spät? Die Jugendlichen scheinen im Vollbesitz von Wahlmöglichkeiten zu sein, die sich Eltern in den Wechseljahren damals, in ihrer Jugend, so nicht boten. Nicht selten mischt sich in den Vergleich auch Rivalität, verbunden mit dem Vorwurf, die jungen Leute hätten es heute besser. Aber in jeder Kindheit und Jugend gibt es Chancen und Hemmnisse, ob sie mehr in den äußeren Bedingungen oder in der eigenen Person liegen. Und vielleicht lag es den Eltern ja gerade am Herzen, ihren Kindern mehr zu bieten, als sie selbst für sich realisieren konnten! Sabrinas Mutter, 51 Jahre, bemerkt hinsichtlich ihrer 14-jährigen Tochter etwas wehmütig: „Wenn ich sehe, was die Kinder heute für Möglichkeiten haben: Reisen, Auslandsaufenthalte, E-Mail-Kontakte mit der ganzen Welt, Internet, Freiheit von autoritären Zwängen, dann könnte ich fast neidisch werden. Ich wäre damals so gern ein Jahr nach Amerika gegangen, weg von Zuhause. Aber das klappte noch alles nicht so selbstverständlich mit dem Austausch, und mein Vater verlangte als erstes einen ordentlichen Schulabschluss. Schade, nicht mehr jung zu sein und diese Angebote nutzen zu können!"

Alt sein – ein Mangel? Alte Eltern zu sein – ein Makel? Muss man sein Alter verstecken und jede neue Entwicklung mitmachen, um ernst genommen zu werden, um „in" zu sein? Die Revolte gegen die Zeit ist nutzlos, denn das gelebte Leben hinterlässt seine Spuren. Sie anzunehmen, vielleicht sogar auf sie stolz zu sein, wäre eine Haltung, mit der ältere Eltern auch für Jüngere eine ermutigende Zukunftsperspektive verträten. Spätestens in den Wechseljahren muss die Logik, dass Leben auch altern heißt, begriffen werden, um Gegenwart und Zukunft in den Griff zu bekommen. Betrachtet man das Leben ausschließlich unter dem Aspekt von Verlust, ist es tatsächlich eine Katastrophe zu altern. Dieser Meinung waren ja auch die alten Griechen und kultivierten deshalb den Mythos der schönen Jugend. Aus dieser Sicht ist es verständlich, wenn Alexanders Mutter voller Bitterkeit formuliert: „Mir bleibt nichts, als meinen gegenwärtigen und künftigen Verfall zu pflegen."

Betrachtet man jedoch das Altern unter dem Aspekt des Habens, so lässt sich ein überzeugendes Plus verbuchen: Wer wirklich lebt (und damit altert), ist in der Lage, Erfahrungen und Wissen zu sammeln, reifer, gelassener und vielleicht sogar weise zu werden. Und genau diese Eigenschaften fehlen den ins Leben stürmenden Pubertierenden. Das wird zur Bring-Schuld der älteren Eltern und ist in den Augen ihrer Heranwachsenden mehr wert als der mühsam durchgehaltene Gleichschritt im Namen von Attraktivität, Elastizität und Kraft. Darüber hinaus gibt es in jeder Lebensphase neue spannende Erlebnisse, die wiederum in den Erfahrungsschatz eingehen, vorausgesetzt, man ist frei, offen und neugierig genug, um sich dem Wagnis des Unbekannten täglich neu zu stellen.

Schuldzuweisungen schaffen Aggressionen

Es liegt nahe, Pubertierenden angesichts ihrer extremen und bewusst Aufsehen erregenden Verhaltensweisen Vorwürfe zu machen. Sie wollen beachtet werden! Vorwürfe und Zurechtweisungen provozieren jedoch immer aggressivere Abwehrmanöver, gerade weil jene möglicherweise nicht ganz ohne Berechtigung sind. Aber ein Pubertierender würde sich lieber die Zunge abbeißen als zuzugeben, dass Eltern, wenn auch nur ansatzweise, Recht haben. Es ist ein archaischer Selbstschutz, den die Heranwachsenden im Schlaf beherrschen: Angriff als beste Verteidigungsstrategie. Insofern ist es für die Eltern in den Wechseljahren auch eine Notwendigkeit, im Rahmen der persönlichen Kräfteökonomie sachlich zu bleiben und anstelle von fruchtlosen Grundsatzdebatten zu lernen, Ich-Botschaften zu senden, wenn es um konkrete Anliegen und Wünsche geht: Wenn Corinna von ihrer Mutter hört, dass man sich schämen müsse im Angesicht ihrer Schlamperei, dass man sich fragen müsse, was andere dazu sagen würden, dass Mädchen in ihrem Alter endlich einsehen müssten, dass man so nicht leben könne, dann ist es nicht überraschend, wenn Corinna weghört und die Mutter als „tranige alte Schachtel" betitelt. Erfolgreicher ist eine klare Mitteilung, die hinsichtlich des gleichen Problems sagt: „Ich mag dein Chaos nicht. Ich wünsche mir, dass du wenigstens ab und zu aufräumst, weil es mir ein besseres Gefühl gibt. Ich kann verstehen, dass du dich in deinem Zimmer in allem Durcheinander gut zurechtfindest. Wenn du aber deine Sachen zusätzlich in der ganzen Wohnung verteilst, dann werde ich ärgerlich." Natürlich wird eine Pubertierende weder strahlend noch sofort auf die Bitte eingehen, schließlich muss das Gesicht gewahrt bleiben. Aber der Hinweis wird ankommen, weil er Ausdruck des persönlichen Fühlens der Mutter ist und nicht einer anonymen Norm (die es in Wirklichkeit äußerst selten gibt!).

Schuldgefühle fördern Depressionen

Genauso zwecklos wie verspätete Erziehungsversuche gegenüber den Jugendlichen ist es, sich seitens der Eltern Schuldgefühle zu machen. Es ist wenig konstruktiv, über Vergangenes nachzugrübeln und sich mit Selbstvorwürfen zu quälen. Das Resultat dieser überkritischen Selbstschau sind häufig überfordernde Idealvorstellungen, die in der Erwartung gipfeln, das Morgen optimal, fehlerlos zu gestalten, um damit die Fehler zu kompensieren. Ein solcher Anspruch muss zwangsläufig scheitern, weil menschliche Interaktion, besonders, wenn sie beidseitig durch aktuelle Krisenstimmungen geprägt ist, immer von Fehlern begleitet ist. Die Konsequenz solcher überzogener Ansprüche ist in der Regel ein noch tieferes Versinken in depressiv gefärbte Mut- und Hoffnungslosigkeit. Aus dieser Stimmung heraus lässt sich das Steuer erst recht nicht herumreißen, so dass Eltern sich dann in einem Teufelskreis bewegen, in den auch die Pubertierenden mit hineingezogen werden. In der umfassenden Verzweiflung wird das Kind mit dem Bade ausgeschüttet: „Nie wird es mir gelingen, wieder ein freundliches, entspanntes Verhältnis zu Tanja (15 Jahre) zu gewinnen. Sie kränkt mich, wenn sie nur den Mund auftut. Das kann ich ihr nie vergessen!" (Tanjas Mutter, 54 Jahre). Pauschaläußerungen, die mit „nie" und „immer" beginnen, lähmen zunächst, provozieren dann aggressive Auseinandersetzungen und führen zu keiner Klärung. Meist ziehen sich alle Beteiligten am Schluss in ihr Schneckenhaus zurück und pflegen ihre verkannte Größe in beleidigter Nabelschau. Ist es zu einer solchen Eskalation gekommen, lohnt sich der Versuch, wieder einen Schritt auf den anderen zuzugehen, nicht um die Diskussion unter Schuldzuweisungen neu zu beleben, sondern indem man einen gemeinsamen Strich unter das Vorgefallene zieht. Nach vorn schauen ist allemal fruchtbarer, als rechthaberisch auf der Stelle zu treten.

Patricks Eltern, beide Mitte 50, berichteten von ihren Erfahrungen mit ihrem 15 $\frac{1}{2}$-jährigen Sohn: „Oft liege ich nachts schlaflos", so die Mutter, „und mache mir Vorwürfe, dass ich meinen Sohn tagsüber wieder so angeschrieen, ihm auch angedroht habe, der Vater würde ihn schon entsprechend strafen – wofür? – ach, es sind tausend kleine Dinge. Jedes für sich betrachtet ist eigentlich eine Bagatelle, aber zusammengenommen wirkt es einfach entnervend. Ich rege mich über die hingeworfene Schultasche, die Schuhe, die kreuz und quer liegen, den wieder abgerissenen

Aufhänger an der Jacke maßlos auf! Und dann die schnodd-rigen Reden, ich solle mich ‚ein paar Grad abregen', eine jüngere Mutter würde nicht so ausflippen, es seien wohl bei mir die Wechseljahre. Das trifft, und ich mache ihm noch mehr Vorhaltungen, er solle, wenn es denn so wäre, wenigs-tens Rücksicht auf mich nehmen. Er hat dann so eine Art, mich anzugrinsen, dass ich ihm am liebsten eine hinter die Ohren geben würde. Das Schlimmste ist, dass ich oft den Eindruck habe, dass sich mein Mann und er solidarisieren und hinter meinem Rücken die Augen verdrehen, von wem hätte er denn sonst den Hinweis auf die Wechseljahre?!"

„Wir haben dann an einem Abend eine Familienrunde gemacht und ausführlich miteinander geredet", fuhr der Vater fort. „Das war nicht leicht, denn manchmal habe ich schon das Gefühl, dass meine Frau in den Wechseljahren vermehrt zu Hysterie neigt. Aber ich schreie unseren Sohn auch oft an, wenn er sich so großspurig aufbläst, wobei we-nig mehr als heiße Luft dahinter ist. Wir haben uns dann wenig spektakulär darauf geeinigt, dass wir uns zur Zeit alle furchtbar auf die Nerven gehen, dass wir uns aber im Großen und Ganzen trotzdem mögen. Patrick war dann der, der uns vorgeschlagen hat, nicht mehr so große Pläne zu machen, wie er zu behandeln sei, sondern es einfach mal so laufen zu lassen."

„Wir wahren skeptisch", berichtet Patricks Mutter weiter, „aber der geringere Einsatz lohnte sich. Ich habe weniger gefordert und nach einer die Geduld auf eine harte Probe stellenden Zeit hat unser Sohn tatsächlich versucht, eini-ges selbst in die Hand zu nehmen, sogar Nadel und Faden, um seinen Aufhänger wieder anzunähen. Ich mache mir weniger Gedanken um die Erziehung und vertraue immer mehr darauf, dass es schon werden wird. So falle ich auch längst nicht mehr so häufig in ein dunkles Loch."

Es lohnt sich ganz offensichtlich, in diesem Alter Erzie-hung im klassischen Sinn ad acta zu legen und auf die Ei-geninitiative der Pubertierenden zu bauen. Es verlangt oft einen langen Atem, aber es lohnt sich. Eine Veränderung des provozierenden Verhaltens geschieht zwar selten aus Einsicht, aber sehr häufig den Eltern zuliebe (auch wenn man gelegentlich meint, an der Liebe zweifeln zu müssen). Bereits dieses Wissen macht Schuldgefühle unnötig und kann Zuversicht wecken, was immer noch das beste Therapeutikum gegen Depressionen ist.

Naiver Glaube macht blind gegenüber der Realität

Nicht selten werden Eltern in fortgeschrittenem Alter als überbesorgt, überbehütend, überängstlich eingestuft. Sicherlich neigen manche im Wissen um mögliche Gefahren an Leib und Seele dazu, die Grenzen zu eng zu ziehen. Vertreter einer ausschließlich liberalen Erziehung dagegen predigen, man müsse doch einfach an das Gute glauben. Die Jugend hätte schließlich das Recht, sich auszutoben, die Hörner abzustoßen, man solle großzügig auf die selbstregulierenden Kräfte im Pubertierenden vertrauen. Diese Gedanken enthalten sicherlich ein großes Maß an Wahrheit. Wird diese Sicht jedoch überbetont, kann sie in naive Vertrauensseligkeit ausufern oder untergründig von dem egozentrischen Impuls bestimmt sein, Konflikte und Auseinandersetzungen zu vermeiden. Verlangt man von den jungen Leuten auf der Basis einer solchen Einstellung, dass sie selbst das Maß aller Dinge sind, öffnet man womöglich der Willkür Tür und Tor.

Unersättlichkeit wird dann schnell zur Richtschnur der Bedürfniserfüllung, vergleichbar mit dem Märchen „Vom Fischer und seiner Frau". Weil der Fischer nicht in der Lage war, den Wünschen seiner Frau eine Grenze zu setzen, fielen beide als Folge der Maßlosigkeit in ihr altes Elend zurück. Die Chance einer Weiterentwicklung war verspielt.

Pubertierende brauchen den Glauben an ihre Person im Sinne von Vertrauen und Zuversicht. Pubertierende brauchen jedoch in gleicher Weise Struktur und Grenzen, um mit den eigenen überschießenden Triebbedürfnissen ebenso wie mit ihrer Tendenz zur Selbstüberschätzung in einen inneren Ausgleich zu kommen. Schließlich sollen sie lernen, in ihrem Triebhaushalt das eigene Ich verantwortlich als Steuermann einzusetzen, statt von jenem dominiert zu werden. Und für diesen Lernprozess brauchen sie ein Stück Hilfestellung und Anweisung von außen. Grenzen setzen ist nicht sehr populär, häufiger ginge es friedlicher zu, wenn man darauf verzichtete. Aber soziale Kompetenz als Erziehungsziel verlangt neben der Akzeptanz eigener Bedürfnisse, dass Respekt und Wertschätzung der Würde des anderen eingeübt werden.

In Fortführung dieser Linie gehört es auch dazu, sich als Erwachsener eine gewisse Nüchternheit im Umgang mit Jugendlichen zu bewahren. Kritikloser Beifall gegenüber allem, was die Jugendlichen tun und können, insbesondere hinsichtlich der neuen Medien, kindliches Staunen über ihre Fähigkeiten, per E-Mail und SMS zu kommunizieren, bewundernder Applaus angesichts ihres spielerischen Umgangs mit dem PC droht, sie zu kleinen Göttern zu erheben. Diese Würde ist aber keine echte, die durch Überlegenheit aufgrund von Wissen und Erfolg erworben wurde, sondern resultiert aus ihrer Neugier, Offenheit und Unbefangenheit im Umgang mit Unbekanntem, einer geringeren Berührungsangst, die jedoch gerade Ausdruck der Jugend und ihrer Unbekümmertheit ist. Es ist nicht angemessen, sich als ältere Eltern unterlegen zu fühlen und sich einmal mehr als zum „alten Eisen" gehörig zu deklassieren. Man darf sich gerade als Eltern fortgeschrittenen Alters auch einmal zurücklehnen und sich sagen: „Das muss in diesem Maße nicht mehr meine Welt sein."

Tanjas Vater, 58 Jahre, vermittelte seiner Tochter zu ihrem 16. Geburtstag in einem Brief klar seine Haltung: „Du wirfst mir vor, dass ich nicht ausreichend an dir interessiert sei, weil ich deinen Umgang mit Medien missbillige. Du magst recht haben mit dem Vorwurf, dass andere, jüngere Väter sich flexibler mit dieser ,Schönen Neuen Welt' auseinandersetzen. (Er hatte ihr als Geschenk Aldous Huxleys Buch „Schöne Neue Welt" beigelegt.) Ich erlaube mir, mich von dir und auch von diesen jüngeren Vätern zu unterscheiden. Dir zuliebe, mir zuliebe. Ich bin altmodisch. Du wirfst mir das vor, und ich bin es sicher auch. Aber ich stehe dazu, es ist die Welt, die mir entspricht. Ich liebe den Umgang mit Büchern, verkrieche mich vielleicht hinter ihnen, wie du immer wieder anmerkst. Ich schreibe gern Briefe, mit Tinte, ich habe kein Handy und nicht das Bedürfnis, immer erreichbar zu sein. Du bist eine moderne Jugendliche. Du liebst es, deine Haare immer wieder anders zu färben und damit auf dich aufmerksam zu machen, du kennst eine Fülle von Menschen, mit denen du per Handy und SMS Kontakt pflegst. Du liebst das Fernsehen und langweilst dich mit Büchern. Du bist offen, selbstbewusst und zuweilen rücksichtslos. Lass uns einfach nebeneinander bestehen, ohne dass wir uns wechselseitig verurteilen. Mir fällt es manchmal schwer, deine Gedanken und Gefühle nachzuvollziehen, wie es dir wohl auch mit mir geht. Vielleicht finden wir später wieder mehr Gemeinsamkeiten."

Glaube an die eigene Person ermöglicht Festigkeit

Eltern in den Wechseljahren reflektieren mehr, sind daher auch selbstkritischer, wie es der Brief von Tanjas Vater deutlich macht. So positiv dies auf der einen Seite in Bezug auf die Wahrnehmung der Realität ist, so gefährlich wird es, wenn Selbstkritik in Selbstentwertung umschlägt. Es ist nicht negativ zu bewerten, wenn ältere Menschen jeden Schritt ins Neuland weit vorsichtiger, kritischer, vielleicht auch unsicherer betrachten, weil sie im Risiko nicht nur Chancen, sondern auch Gefahren sehen, eine Haltung, die wiederum mit längerer Lebenserfahrung zusammenhängt.

Erwachsene, insbesondere ältere Eltern, müssen den Mut haben, ein Stück weit die überlegene Generation zu bleiben, um damit den Heranwachsenden auch ein Gefühl von Schutz, von Sicherheit und Orientierung zu vermitteln. Überhöht man die Jugendlichen in naiver Bewunderung, müssen diese auf ein wesentliches Stück Geborgenheit verzichten. Diesen Halt seitens der älteren Generation brauchen die Pubertierenden jedoch, um sich in einer Welt zurechtzufinden, die mehr von ihnen verlangt, als technische Apparate zu beherrschen.

Glaube an sich und die eigenen Erfahrungen, das Bewusstsein, Kenntnisse erworben zu haben und sie anwenden zu können, die Bereitschaft, Gefühle wahrzunehmen und sie zu artikulieren, das Vermögen, einfühlsam und flexibel mitschwingen zu können, all das rechtfertigt, als Eltern in den Wechseljahren mit Selbstbewusstsein aufzutreten und sich selbst wertzuschätzen. Daneben ist es wichtig, Älterwerden nicht nur individuell als einen Wert anzusehen, sondern dem Alter an sich eine für das Kollektiv notwendige Bedeutung beizumessen. Diese zeigt sich z. B. darin, dass Kinder und Jugendliche gerade heute immer wieder mit größter Verehrung von ihren Großeltern sprechen. Dabei ist es für sie nicht wesentlich, ob jene noch jung aussehen oder sich jung geben, vielmehr wird immer wieder ihre Güte und „Lockerheit" betont. Großeltern haben lange in dieser Welt gelebt und sich von den Erfahrungen formen lassen. Dies den Enkeln ohne pädagogischen Anspruch zu vermitteln ist eine lohnende Aufgabe, die es Eltern im Klimakterium erleichtert, sich ihrerseits ein wenig zurückzunehmen. Die Gelassenheit, die Großeltern oftmals ausstrahlen, vermag den von so vielen Unsicherheiten hin- und hergerissenen Heranwachsenden eine Orientierung fern von erzieherischem Pathos zu vermitteln.

„Meine Oma, die ist einfach super", so die 14-jährige Sabrina. „Die ist echt gut drauf. Neulich haben wir über die Pille und so was geredet, und sie hat gemeint, dass wir heute in einer anderen Zeit leben und dass sie sich freut, dass junge Leute in diesem Punkt nicht mehr so viele Ängste haben müssen. Dann hat sie mir erzählt, wie es bei ihr früher war. Sie hätte auch gern schon vor der Ehe mit dem Opa geschlafen, aber sie hatte so furchtbare Angst vor einer Schwangerschaft. Mit der würde ich lieber sprechen, wenn ich mal einen Freund habe, als mit meiner Mutter. Meine Oma ist auch noch so richtig fit. Die macht Reisen und hat versprochen, wenn ich die Klasse schaffe (lacht) – ich stehe nämlich ziemlich mies mit den Noten –, dann lädt sie mich zu einer Reise ein. Die macht nicht so höllisch Druck wie meine Mutter. Schließlich weiß meine Oma genau, dass ich auch keine Lust habe, durchzufallen."

Sabrinas Äußerungen zeigen, dass zur notwendigen Reife auch das „weise werden" gehört, nicht nur im Sinne eines umfangreichen Wissens und Könnens, sondern als etwas, was sich durch die lebendige Teilhabe am Leben über einen langen Zeitraum entwickelt hat. Dadurch vermittelt sich dem jungen Menschen neben dem konkreten Verständnis der Welt etwas vom Geheimnis des Werdens, des Entwickelns und des Vergehens. Und das Erahnen dieses Geheimnisses ist ein Wert, auf den die jüngere Generation ein Anrecht hat und dessen Vermittlung Eltern in den Wechseljahren, trotz ihres fortgeschrittenen Alters, getrost der Generation über ihnen überlassen dürfen.

Liebe als sentimentaler Gefühlsüberschwang provoziert Unsicherheit

Liebe zum Kind und zum Heranwachsenden ist der wichtige Nährboden, auf dem sie gedeihen, wachsen und sich entfalten können. Liebe soll aber nicht zur überschwappenden Gefühlssentimentalität entarten, die nahezu als Reflex bei vielen Menschen gegenüber allem Kleinen und Hilflosen entsteht. Diese Form der Liebe lebt davon, dass das Gegenüber klein und bedürftig ist, sie braucht die Gewissheit der Überlegenheit und betrachtet den anderen als Besitz, als Schoßhund oder Schmuckstück. Diese Liebe ist jedoch nicht wirklich belastbar. Wird das Kind eigenständig und unabhängig, muss es sich gegen diese Form der Liebe, die als besitzergreifender Machtanspruch erfühlt wird, wenden. Die Reaktion des liebenden Elternteils ist meist Rückzug, und die scheinbare Selbstlosigkeit entpuppt sich sehr rasch als Eigenliebe oder besser Selbstbezogenheit. Ist es nicht folgerichtig, dass das so geliebte Kind ähnlich egoistisch und rücksichtslos seine Bedürfnisse artikuliert und durchsetzt, weil das Unechte intuitiv erfühlt und auf die Scheinwahrheit, die als Scheinheiligkeit durchschaut wird, mit Aggression reagiert wird?

Ältere Mütter stehen manchmal in der Gefahr, in besitzergreifender Liebe das Kind klein halten und die Schritte ins Erwachsenwerden verhindern zu wollen. Auf diese Weise scheint man dem eigenen Alter trotzen und Jungsein konservieren zu können. Eine 25-jährige junge Frau, inzwischen selbst Mutter eines einjährigen Kindes, berichtet aus ihrer Jugendzeit, sie habe noch mit 17 Jahren auf dem Schoß der Mutter (jetzt 65 Jahre) gesessen und mit ihr geschmust. Die Mutter habe sie einfach nicht losgelassen, und die Schwangerschaft mit dem kleinen Sohn sei auch ein Akt der Befreiung gewesen. Nun habe sie den Kontakt unter größten Schuldgefühlen nahezu eingefroren. „Sobald ich mich telefonisch melde, bin ich wieder das kleine Kind, nicht nur in den Augen meiner Mutter, sondern auch in meinem eigenen Verhalten. Ich muss jetzt sehr verspätet meine Pubertät durchkämpfen und eigenständig werden. Das bringt mich in ein riesiges Rollendurcheinander, weil ich ja meinem Kind gegenüber eine gute Mutter sein möchte. Mir ist aufgefallen, dass ich manchmal Angst davor habe, mit meinem Kind zu schmusen, um nicht in das Fahrwasser meiner Mutter zu gelangen. Inzwischen fängt meine Mutter an, mich direkt oder über Bekannte mit Mitteilungen über verschiedene schreckliche Krankheiten, an denen sie angeblich leidet, erneut einzufangen. Ich muss das so abwertend sagen, sonst bekomme ich sofort ein schlechtes Gewissen und lasse alles stehen und liegen, um nach ihr zu schauen. Ich habe das ein paarmal gemacht und habe festgestellt, dass es ihr, abgesehen von ihrer leidenden Stimme, bestens ging. Ich weiß nicht, wie ich mich aus dieser Gebundenheit befreien soll."

Eine andere Frau, 38 Jahre, Mutter von zwei Kindern, erzählte in einem Gespräch, sie habe sich erstmals erlaubt, Weihnachten im eigenen Familienkreis zu feiern und nicht mit Mann und Kindern zur 77-jährigen Mutter zu fahren. Diese habe entrüstet und beleidigt reagiert und geäußert: „Kinder gehören Weihnachten zu ihrer Mutter!" „Ich musste mir immer wieder sagen, dass ich die Kinderschuhe längst abgestreift habe, sonst wäre ich umgefallen und hätte meinen Entschluss rückgängig gemacht. Aber ein schlechtes Gewissen habe ich doch!"

Liebe zu sich selbst ermöglicht ein neues Selbstgefühl

Diese Berichte machen deutlich, wie schnell Liebe mit Macht- und Besitzansprüchen verknüpft wird. Liebe ist jedoch keine Ware, die gekauft wird, sondern ein Gefühl, das sich verschenkt, ohne nach einer Rückzahlung in gleicher Münze zu fragen. Ist es eine Gefahr für ältere Eltern, sich ihre Kinder als positive Erweiterung des eigenen Ichs zu wünschen, um die eingeschränkte Attraktivität und Vitalität auszugleichen? Heißt dann unter Umständen die Kurzformel elterlicher Liebe: „Ich liebe dich, weil ich dich brauche" und nicht: „Ich brauche dich, weil ich dich liebe"? Entspringt Liebe aus einem eigenen Defizit, dann mangelt es auch an Liebe zu sich selbst.

Sich selbst zu lieben wird häufig als Zug negativer Selbstbezogenheit interpretiert und damit abgelehnt. Sie ist aber

Voraussetzung für die Fähigkeit, den anderen liebevoll zu sehen, denn sich lieben heißt, sich mit Wohl-wollen zu betrachten und keine wertenden Bedingungen zu stellen. Erst in der Akzeptanz von hellen, aber auch dunklen Persönlichkeitsanteilen kann sich Liebesfähigkeit zu sich und zu den Kindern entwickeln.

„Ich hätte meinen Sohn in der Pubertät manchmal an die Wand klatschen können", so der Kommentar einer heute 60-jährigen Frau. „Mit anderen Müttern war ich mir einig, dass man Pubertierende immer mal wieder in die Wüste schicken sollte. Aber wenn es besonders heftig war, dann hat mir die Erinnerung an die eigene Pubertät geholfen. Ich war einfach schrecklich, wenn ich das mit heutigen Augen anschaue, aber meine Eltern haben mir immer das Gefühl vermittelt, mich trotz aller Schulschwierigkeiten, Klagen der Lehrer, trotz aller Aufsässigkeit in Ordnung zu finden. Vielleicht nicht immer gut, aber irgendwo richtig. Das war für mich ungeheuer wichtig, um mir trotz aller Schwierigkeiten ein gutes Selbstwertgefühl zu bewahren. So habe ich die Pubertät unseres Sohnes auch als spannende Zeit erlebt, voller Dramatik, aber auch voller Leben. Heute ist er 22, und wir haben eine respektvolle Beziehung, er zu mir, ich zu ihm. Aber er ist jetzt in meinen Augen auch ein Erwachsener."

Liebe zu sich, so macht diese Mutter deutlich, heißt demnach, „sich in allen Schwierigkeiten ein gutes Selbstwertgefühl zu bewahren". Auf dieser Basis lassen sich Perspektiven nach vorn eröffnen, die gerade im Klimakterium Möglichkeiten ganzheitlicher Entwicklungen parallel zu jenen der Pubertierenden eröffnen. Wenn der respektvolle Abstand gewahrt bleibt, den jede eigenständige, runde Persönlichkeit als Lebensraum braucht, ist Liebe zu sich und zum anderen gewährleistet. Ermöglicht Liebe ein aktives Ergreifen der Welt, zwingt besitzergreifende Sentimentalität in eine passive Erwartungshaltung, die lähmt und progressive Entwicklung verhindert, beim Pubertierenden ebenso wie bei Eltern in den Wechseljahren.

Überforderung und Unterforderung machen unfrei – Jugendliche wie Eltern

Erwartungen prägen ganz selbstverständlich jede Eltern-Kind-Beziehung. Erwartungen wachsen mit dem Älterwerden des Kindes und werden dann häufig als Forderungen formuliert, wodurch ein Kind den Eindruck gewinnen kann, mit einer positiven Entwicklung und optimalem Leistungswillen eine Schuld abtragen zu müssen: „Ich verlange von dir nicht mehr, als dass du deine Schulpflichten ordentlich erledigst und in deinem Bereich Erfolg hast!" (Aber wehe, wenn dieses „Minimum" nicht erfüllt wird!) Nicht selten neigen ältere Eltern dazu, Forderungen wie diese unausgesprochen, aber dennoch mit einer gewissen Selbstverständlichkeit an ihre Kinder heranzutragen.

„Ich weiß nicht, wie lange wir leben werden", sagte eine 42-jährige Frau bei der Geburt ihres Wunschkindes. Mein Mann ist schon 51, und ich hoffe, dass unser Kind seinen Lebensweg allein gehen kann, bevor wir im Greisenalter sind. Wir werden darum versuchen, es in allen Bereichen zu fördern."

Eine solche, letztlich angstgeprägte Motivation kann zu einer Atmosphäre ständiger Überforderung werden, die entweder, wenn sie verinnerlicht wird, in die Einbahnstraße einer ständigen Stresssituation führt oder in einer Gegenbewegung hierzu spätestens in der Pubertät offene Verweigerung oder versteckten Protest hervorruft. Überforderung – ob sich ein heranwachsender junger Mensch damit identifiziert oder dagegen Sturm läuft – muss jegliche vom Ich gesteuerte positive Leistungsmotivation untergraben und Selbstzweifel provozieren, die zur Rutschbahn in eine passive, resignierte bzw. depressive Haltung werden können. Mit einem derart reduzierten Selbstgefühl ist noch weniger zu leisten, was die Negativspirale von Lustlosigkeit, Minderwertigkeitsgefühl und Leistungsversagen in Gang setzt.

Unterforderung hat bei Pubertierenden eine ähnliche Wirkung: Aufgrund mangelnder Eigenständigkeit werden keine Erfolgserlebnisse gemacht. Damit fehlt dem Selbstwertgefühl die positive Nahrung. Unsicherheit bereitet den Boden für eine passive Erwartungs- und Konsumhaltung. Die anerzogene Abhängigkeit von äußerer Hilfestellung verringert Belastbarkeit und Frustrationstoleranz und führt zu Versagen und Misserfolg gerade in Situationen, in denen Eigenständigkeit gefragt ist. Hierdurch wiederum wachsen Ängste, die sich in der Krisenzeit der Pubertät verschärfen und aus Selbstschutz mit gegenläufigen Verhaltensweisen abgeblockt werden müssen.

Überträgt man diesen Gedanken auf die Wechseljahre, lassen sich ähnliche Mechanismen beobachten. Eltern stehen häufig in der Situation, sich vom Beruf, von der Bewältigung alltäglicher Pflichten, von der Erziehung und Beziehung zu Kindern und Jugendlichen aufgerieben zu fühlen und sich wie Gefangene in den engen Grenzen der selbstgestalteten Lebenssituation zu fühlen. Dies hat zur Folge, dass sie, ähnlich wie die Pubertierenden, zwischen Depression und Aggression schwanken. Als Folge einer jahrelangen Überforderung stellt sich das Burn-Out-Syndrom ein, das bei der Mehrfachbelastung vieler älterer Mütter heute ebenso viele Frauen wie berufstätige Männer betrifft. Gefährlich wird es im familiären Beziehungsrahmen, wenn die Jugendlichen für diesen Zustand schuldig gesprochen werden, für den sie ursächlich nicht verantwortlich sind, sondern den sie lediglich mit ihrem Verhalten dramatisieren. Ihr Verhalten ist nur der berühmte letzte Tropfen, der das ohnehin volle Fass zum Überlaufen bringt.

Ähnlich destruktiv wirkt sich das Syndrom der Unterforderung bei Frauen in den Wechseljahren aus: Die Kinder sind so groß, dass sie nicht mehr viel Fürsorge brauchen, sie nachgerade ablehnen. Das mütterliche Bedürfnis zu umsorgen kann groteske Formen annehmen und, weil es die Realität eines Jugendlichen negiert, zu verletzenden Aus-

einandersetzungen und tiefen Missverständnissen führen.
Alexander: „Und wenn mir dann meine Mutter beim Mittagessen mit hungrigen Augen gegenüber sitzt und fragt:
‚Schmeckt es dir denn, mein Liebling?', dann würde ich ihr
das Essen am liebsten ins Gesicht schleudern. Meistens
stehe ich dann wütend auf und gehe zu Mc Donald's. Da
muss ich nicht loben und nicht dankbar sein. Und sie steht
da und versteht die Welt nicht mehr. Wo sie es doch so gut
meint!"

Um die entstehende Leere zu füllen, kann das Bedürfnis
nach Aktivität bei den Müttern in leere Betriebsamkeit ausufern: Putzzwang, Kaufsucht oder sinnloses Herumagieren.
Weil wirklich befriedigende Tätigkeiten fehlen, hat jede in-
szenierte Aktivität zwar ausfüllenden, aber nicht erfüllenden Charakter. Hier stellt sich die Frage einer notwendigen
Neuorientierung, der Rückbesinnung auf Inhalte, bevor die
Kinder kamen. Berufliche oder ehrenamtliche Interessen
und Tätigkeiten, die einen heilsamen Zwang darstellen,
sich vermehrt nach außen zu öffnen, können dabei behilf-
lich sein. Der Raum, den die Autonomieschritte der Jugendlichen einem neu eröffnen, sollte wieder mit Befriedigung
schenkenden Tätigkeiten gefüllt werden, was wiederum zu
neuem Lebenssinn führt. Die Gefahr der Unterforderung
liegt darin, sich in einer satten Altersträgheit einzurichten
und darauf zu verzichten, sich die Unbequemlichkeit eigenständigen weiteren Wandels zuzumuten. Der Volks-
mund hat diese Gefahr erkannt, wenn er sagt: „Wer rastet,
der rostet!" Damit sind nicht etwa übertriebene (Freizeit-)
Aktivitäten, Hektik und Stress gemeint, sondern eine
innerlich aktive Haltung, die am Puls der Zeit bleibt und
einen dazu auffordert, sich selbst in der eigenen Lebendigkeit immer wieder neu zu erproben. Damit erfüllt man
auch eine wichtige Vorbildfunktion gegenüber den kritischen Jugendlichen, die sie als eine Perspektive hinsichtlich ihres eigenen Älterwerdens verinnerlichen können. Es
ist traurig, wenn ein Mitte 50-jähriger Mann im Gespräch

äußerte: „Ich mag mich nicht mehr verändern, ich habe genug Wandel erlebt, genügend Veränderungen mitgemacht."
„Und für diese Starre verachte ich dich!", konterte sein 16-jähriger Sohn.

Reden ist Silber, Schweigen ist Gold

In der Erziehung hat sich die Erkenntnis, wie wichtig es ist, mit den Kindern zu reden, längst durchgesetzt. Ihnen den Sinn von Erziehungsmaßnahmen transparent zu machen, indem der Erwachsene sein Tun, Fühlen und Empfinden artikuliert und damit ängstigende Schranken autoritären Handelns beiseite räumt, ist nahezu das „Kleine Einmaleins" der Pädagogik. Diese Erziehung war korrigierende Antwort auf eine repressive Pädagogik, die sich zur Aufrechterhaltung der Autorität im Angesicht von peinlichen „Warum"-Fragen gern bedeutungsschwangeren Verstummens bediente. Ebenso beunruhigend für Kinder war die Formel: „Das erkläre ich dir, wenn du größer bist!"

Heute ist allerdings oft das Gegenteil zu beobachten: Alles und jedes wird dem Kind erklärt, mit ihm besprochen, es wird um seine eigene Meinung gefragt, ihm eine Entscheidungskompetenz zugesprochen, mit der es oft überfordert ist. Gleichzeitig wird das Kind überschüttet mit einer Fülle von Hinweisen und Ermahnungen, die es in eine ständige Aufmerksamkeitshaltung zwingen. Fachleute sprechen davon, dass heranwachsende Kinder täglich einem Kreuzfeuer von Tausenden solcher Äußerungen ausgesetzt sind. Auf diesem Hintergrund wird verständlich, dass Kinder aus Selbstschutz lernen wegzuhören. Leider werden in der Überfülle auch wichtige Aussagen der Eltern nicht mehr wahrgenommen.

Die Gefahr des Vielredens ist vor allem bei älteren Eltern groß, sei es, dass sie aus der größeren Lebenserfahrung mehr vermitteln können und wollen, sei es, dass Kindheit schon so weit entfernt ist, dass sie den kindgemäßen Umgang nicht mehr beherrschen. Spätestens in der Pubertät haben die Jugendlichen die Fähigkeit des Nichthörens, Weghörens, Nichtzuhörens bis zur Perfektion entwickelt, was wiederum auf das un-erhörte Übermaß elterlicher Ermahnungen und Erklärungen hinweist. Spätestens dann sollte die Erkenntnis gewachsen sein, dass Schweigen häufig mehr bringt. Jugendliche in der Pubertät machen sich ihre eigenen Gedanken, können sehr wohl in eigener Urteilsfähigkeit mit ihrer Realität, sei es in der Schule, sei es unter Freunden, umgehen. Das Zuviel an elterlichen Hinweisen, das im Wesentlichen von Unsicherheiten und Ängsten bestimmt ist, verursacht oft erst die verzerrte Reaktion: Ein bockiges „trotzdem" oder ein resigniertes „nun erst recht nicht!"

„Wenn meine Mutter nicht immer labern würde, wann ich abends heimzukommen hätte, dann bräuchte ich mein Weggehen gar nicht immer bis zur letzten Minute auszudehnen!", so der 15-jährige Andreas.

Schweigen fällt schwer, denn man meint es gerade als ältere Eltern doch so gut. Es bleibt offen, mit wem man es gut meint – am Ende vor allem mit sich selbst?

Die Bereitschaft, die Kritik der Jugendlichen als Entwicklungsimpuls anzunehmen

Es ist an der Zeit, aufmerksamer auf das zu achten, was Jugendlichen sagen, die Bedeutung des Hörens, des Zuhörens, des Hinhörens für sich zu entdecken. Als älterem Erwachsenen sollte es einem angesichts größerer Reife leichter fallen, die Kompetenz, vor allem den klaren Blick der Jugendlichen, zu schätzen. Sie sind in ihrer krassen Schonungslosigkeit der Wahrheit meist sehr nahe, was natürlich auch Furcht auslösen kann, denn in ihrer Kritikfähigkeit bis Kritiksucht sind Pubertierende gelegentlich gnadenlos! Aber weil hinter jeder ihrer oft verletzenden Äußerungen auch

149

ein waches Interesse an den Eltern verborgen ist, könnten die kritischen Äußerungen auch als Impuls zur Weiterentwicklung angenommen werden. Die Pubertierenden haben etwas zu sagen, sie können den älteren Erwachsenen in ihrer Krisensituation mit ihren Wahrnehmungen helfen, ungetrübter zu sehen, neue Perspektiven zu entwickeln, vorausgesetzt, man ist bereit, die oft ruppige Form, in der die Wahrheiten geäußert werden, zu übergehen. Schweigen ist Gold.

„Wenn ich rückblickend sagen soll, welcher Mensch meinem Leben am meisten Anstöße gegeben hat, würde ich sofort meinen Sohn nennen. In der Pubertät hat er mich unendlich gekränkt mit seinen saloppen bis unflätigen Sprüchen. Aber er hat es immer geschafft, den Finger in die Wunde zu legen. Er hat gnadenlos meine Arbeitssucht angeprangert (,Wenn du das nicht hättest, könntest du deine Depression pflegen!'), meine Konfliktscheu (,Du hast nur Angst vor der Wahrheit, und die kommt raus, wenn man streitet. Du bist nicht friedlich, sondern hast nur Angst vor deiner eigenen Wut!'), meiner Neigung, mich mit Alkohol zu betäuben, um abschalten zu können (,Deine drei Bierchen am Abend, das ist Alkoholismus, mein gelegentlicher Graskonsum ist harmlos dagegen, denn ich mache es aus Genuss mit meinen Freunden, du machst es aus Überdruss und allein!'). Dafür bin ich ihm heute dankbar, er hat mich gezwungen, über mich selbst nachzudenken." Dies sagt ein heute 70-jähriger Vater über seinen Sohn Michael (heute 23).

Humor heißt, das Lachen nicht zu verlieren – trotzdem

Kritik, Ironie, Zynismus, Sarkasmus – die Jugendlichen beherrschen allmählich das ganze Arsenal verbaler Kampfmittel, denn sie haben viele Jahre gut zugehört und gelernt. Nun schießen sie zurück, und zwar auf gekonnte Weise. Da man in den Wechseljahren dünnhäutiger ist, treffen diese Geschütze umso schmerzhafter. Es mag wie Ironie klingen oder auch als weitere Überforderung erscheinen, wenn als „Patentrezept" Humor und Lachen empfohlen wird. „Trotzdem zu lachen", wie es Wilhelm Busch vorschlug, hört sich leicht an! Wie gern verfügten Eltern in den Wechseljahren über seine Gelassenheit, und wie schwer ist das Lachen im Alltag, wenn die Pubertierenden gerade wieder den eigenen verletzbaren Punkt mit absoluter Sicherheit getroffen haben. Eine Hilfe, um zumindest ein Lächeln zustande zu bringen, ist die Erinnerung an die eigene Pubertät. Es ist doch noch gar nicht so lange her, dass man selbst das dachte, was Jugendliche heute wagen auszusprechen oder herauszuschreien. Und ist es nicht Ausdruck von Vertrauen, dass sie sagen, was sie im Augenblick denken und fühlen, auch wenn es unangenehm ist, wenn es trifft? Aggression ist doch nur dort möglich, wo ein Mensch sich sicher und geliebt fühlt, sonst zeigt er sich lieber von seiner Schokoladenseite.

Tanjas Mutter berichtete in diesem Zusammenhang von einer Episode mit ihrer 15-jährigen Tochter: „Es ging mal wieder um die Mithilfe im Haushalt. Nach erregten Diskussionen, in denen mich meine Tochter als ‚zwanghaft putzsüchtig' betitelte, während ich mit ‚bequeme, verwöhnte Prinzessin' zurückschlug, bequemte sie sich zur Reinigung von Außentreppe und Hausflur. Sie hoffte, ich würde nicht merken, wie sie lediglich großzügig Wasser verteilte, um es anschließend flüchtig aufzuputzen. Ich hoffte, sie würde meinen kontrollierenden Blick hinter der Gardine nicht merken. Plötzlich trafen sich unsere Augen. Da fiel mir eine Situation aus meiner Pubertät ein: Ich sollte die berühmte schwäbische Kehrwoche machen. Die Hauseigentümerin erahnte ich mit ihrem kritisch-prüfenden Blick hinter dem Vorhang. Daraufhin fegte ich den Schmutz nur demonstrativ in die Ecke. Sie hat sich dann bei meiner Mutter über meine Schlamperei beklagt; hoffentlich würde ich später mit einer ähnlichen Tochter gestraft werden! Bei dieser Erinnerung musste ich plötzlich schallend loslachen. Ich habe eine solche Tochter, und sie ist mir recht so, wie sie ist, denn sie ist meine Tochter."

Eigene Schwächen und Fehler dürfen belächelt werden – von beiden Seiten

Im Blick auf die eigene Krisensituation der Eltern in den Wechseljahren stellt sich die Frage, ob es möglich ist, auch die eigene Übergangssituation mit einer gewissen Gelassenheit zu ertragen. Kann man lernen, die kleineren und größeren Fehler, die immer häufiger passieren, gelassen hinzunehmen? Ist es möglich, die spürbaren körperlichen und geistigen Beeinträchtigungen mit einem Lächeln zu ertragen, in dem bereits eine Spur künftiger Altersweisheit zu sehen ist?

Über sich selbst zu lächeln mag noch lernbar sein. Aber belächelt zu werden – ist das nicht schon sichtbares Zeichen dafür, dass es höchste Zeit ist, sich aufs Altenteil zurückzuziehen?

Pubertierende brauchen in aller Unsicherheit ihrer Entwicklungsphase manchmal ein Stück Anmaßung und Arroganz, um sich an der eigenen Scheingröße festzuhalten, wenn alte Sicherheiten zerbrechen. Das ist nicht böse gemeint und sollte auch nicht so von den Eltern in den Wechseljahren verstanden werden. Sobald ein Stück Sicherheit in der Erwachsenenidentität gefunden ist, werden die überzogenen Äußerungen wieder verschwinden und einem Stück liebevollem Verständnis Platz machen.

Rückblickend erzählt ein 60-jähriger Vater aus seiner Kindheit: „In der Pubertät, da belächelten meine Geschwister und ich unsere Mutter. Sie war damals so um die 50, weißhaarig, für unser Empfinden uralt. Sie war eine Künstlernatur, liebte das Malen, die Bücher und vergaß einfach die Zeit. Mit uns drei pubertierenden Buben kam sie nicht sonderlich gut zurecht. Immer war sie in Eile, als ob sie die durchs Malen und Lesen ‚vertane‘ Zeit wieder aufholen wollte. Und dann passierten ihr immer wieder kleine Missgeschicke. Wir hatten den Eindruck, als bekäme sie den Alltag einfach nicht auf die Reihe. ‚Oh, Mama!‘, war unsere stehende Redewendung. Aber sie hat nur gelächelt und weiter im Galopp versucht, allem nachzukommen. Als wir ihr ein paar Jahre später vorgeworfen haben, sie hätte uns wohl überhaupt nicht recht erzogen und auch keine sonderliche Struktur in ihren Haushalt gebracht, lächelte sie erneut und sagte: ‚Aber ich habe euch mit viel Liebe umgeben.‘ Das ist mir geblieben und hat mir geholfen, meinen Kindern gegenüber tolerant zu sein und nicht das Lächeln zu verlieren, auch wenn sie oft vernichtende Kritik übten.“

Gedanken zum Abschluss

Wie ist es möglich, dass das Aufeinanderprallen zweier Krisensituationen, die der Pubertät und jene der Wechseljahre, nicht zwangsläufig zu einem Stellungskrieg führt, sondern sogar als Bereicherung erlebt werden kann? Wie kann es gelingen, im Spiegel wechselseitiger Erkenntnis Konflikte abzubauen und gegenseitig Anstöße zu progressiver Entwicklung zu geben?

Vordergründig scheinen sich gemeinsame Krisensituationen wie zwei identische Pole nur abzustoßen. Unterschwellig fesseln sie jedoch aneinander im Sinne einer immer weitergehenden Verstrickung. Um die positiven Impulse umzusetzen, die sich beide Seiten in ihren Krisensituation trotz allem geben können, ist heilsame Distanz vonnöten. So, wie man unfähig wird, einen Gegenstand wahrzunehmen, wenn man sich ihm zu sehr nähert, so wird man bei zu geringem Abstand blind für die Krise des anderen. Dann spiegelt sich im Bild des Gegenübers nur noch das eigene Problem, was oftmals zu Frustration und Selbstmitleid führt. Diese Gefühle wiederum machen liebevolle, bezogene Begegnung unmöglich. Der Pubertierende weiß das intuitiv und sucht den Abstand. Der Erwachsene sollte es wissen, neigt aber dazu, dieses Wissen zu verleugnen, indem er sich durch übermäßige Versorgung oder durch leisen oder lauten Vorwurf an das heranwachsende Kind klammert und dadurch heilsame Veränderungen verhindert. Doch mit Abstand lebt und liebt es sich leichter, Abstand verbessert die Wahrnehmung, schärft den Blick für das Gesamte, für die ganze Person, statt an winzigen Details hängen zu bleiben. Distanz schafft Raum, beide Seiten können besser atmen, sich selbst finden, ein Stück Freiheit spüren und diese als fruchtbare Basis zur Entwicklung nutzen.

Freiheit wiederum ermöglicht eine weitgehend unabhängige, aber nicht unbezogene Lebensgestaltung. Freiheit, die dazu dient, sich selbst zu finden, bedeutet nicht willkürliches Sich-Ausleben. Freiheit, um sich zu erproben und neue Wege aus verwickelten Situationen zu finden, ist Voraussetzung für die Lösung der Krise.

Die durch die Krise neu gewonnenen Einsichten können mit der Zeit einen fruchtbaren Prozess der Wiederannäherung einleiten: Ein Stückchen Versöhnung, eine Spur Verständnis und die Gewissheit, dass das, was über Jahre in der Beziehung positiv gelebt wurde, nicht einfach verloren geht, ausgelöscht wird durch pubertäre und klimakterielle Frustration, Hilflosigkeit und Enttäuschung.

„Liebende leben von der Vergebung" – vielleicht könnte dieser Satz am ehesten Motto für die Lösung der Beziehungskrise zwischen Pubertierenden und Eltern in den Wechseljahren sein: sich nichts über längere Zeit zu verübeln, be-leidigt zu sein, d.h. darauf zu bestehen, dass der eine dem anderen Leid zugefügt hat, sondern auf Veränderung und Neubewertung der Situation hoffen.

Das Prinzip Hoffnung aufrechtzuerhalten – eine täglich neue Anstrengung im Umgang mit Pubertierenden, aber umgekehrt genauso im Kontakt der Jugendlichen mit den Eltern in den Wechseljahren! Es ist ein lohnender Einsatz dafür, dass sich die Eltern-Kind-Beziehung wandeln kann zu einer zunehmend partnerschaftlichen Freundschaft, die in Toleranz und Respekt jedem Beteiligten seine Form des Lebens in Krise und Lösung erlaubt.

Literatur zur Anregung und zum Weiterdenken

Benard, Cheryl und Edit Schlaffer: *Sagt uns, wo die Väter sind. Von der Arbeitssucht und Fahnenflucht des zweiten Elternteils.* Reinbek 1991.

Biedermann, Hans, *Knaurs Lexikon der Symbole.* München 1999.

Carroll, Lee und Jan Tober: *Die Indigo Kinder.* Burgrain 2000.

Erikson, Erik: *Kindheit und Gesellschaft.* Stuttgart 1965.

Guggenbühl, Allan: *Pubertät, echt ätzend.* Freiburg 2000.

Hollstein, Walter: *Männerdämmerung. Von Tätern, Opfern, Schurken und Helden.* Göttingen 1999.

Hopf, Hans: *Aggression in der analytischen Therapie mit Kindern und Jugendlichen.* Göttingen 1998.

Kutschke, Joachim: *Die Konsumkinder.* Bergisch Gladbach 1990.

Lutz, Christiane: „Eifersucht und Rivalität in der Familie", *Wege zur Identität.* Hrsg. von Hans Schmid. Würzburg 1983, S. 153-172.

Lutz, Christiane: „In der Welt habt ihr Angst. Von der Möglichkeit, Angst zuzulassen, Angst zu bewältigen, Angst zu überwinden", *Angst. Schrei nach Leben.* Hrsg. von Ursula Schulz. Waiblingen 1997, S. 11-25.

Lutz, Christiane: „Kindsein. Alptraum oder Traum?" *Kindsein heute. Alptraum oder Traum?* Hrsg. von Ursula Schulz. Waiblingen 2000, S. 11-29.

Lutz, Christiane: *Mann-Werden, Mann-Sein. Das Männliche im Märchen.* Krummwisch 2001.

Schnack, Dieter und Thomas Gesterkamp: *Hauptsache Arbeit. Männer zwischen Beruf und Familie.* Reinbek 1990.

Scherf, Walter: *Das Märchenlexikon.* München 1995.

Pubertät und Familie

Marianne Arlt
Pubertät ist, wenn die Eltern schwierig werden
Tagebuch einer betroffenen Mutter
Band 5077
Marianne Arlt erzählt von heftigen Erfahrungen und wie man trotzdem ganz gut mit ihnen leben kann.

Marianne Arlt
Welt, ich komme! Der Pubertät 2. Teil
Tagebuch einer entnervten Mutter
Band 4411
In der 2. Hälfte der Pubertät geht es erst richtig los. Da hilft nur eins: Raus mit den Kids! Denn draußen pulst das wahre Leben, hart, aber gerecht.

Shelley Bovey
Und plötzlich sind sie flügge
Wie es Müttern geht, wenn die Kinder das Haus verlassen
Band 4724
Hilfreiche Erfahrungen um die traurige und schmerzliche Seite dieses Abschieds, die Mut machen für neue Lebensperspektiven.

Paula Goodyer
Kids & Drugs
Ein praktischer Elternratgeber
Band 5273
Kinder vor Drogen schützen: Informationen, Erfahrungen, die richtigen Strategien und Rat für ganz konkrete Situationen.

Allan Guggenbühl
Pubertät – echt ätzend
Gelassen durch die schwierigen Jahre
Band 5513
Der erfahrene Jugendlichen-Psychotherapeut macht Eltern Mut: Eine Orientierungshilfe für Eltern heranwachsender Kinder.

HERDER spektrum

Klaus Hurrelmann/Gerlinde Unverzagt
Wenn es um Droge n geht …
So helfen Sie Ihrem Kind und verlieren Ihre Panik
Band 5520
Informationen und Verhaltensvorschläge.

George H. Orvin
So richtig in der Pubertät
Was Eltern lassen sollten und was sie tun können
Band 4979
Dieses Buch hilft Eltern, ein gelassenes Gefühl dafür zu bekommen, wo sie Unterstützung geben und wo sie loslassen können.

Gisela Preuschoff
Wenn aus Mädchen Frauen werden
Das Buch für Töchter und Mütter
Band 5519
Dramatisch ist der körperliche und seelische Umbruch in der Pubertät. Die Autorin vermittelt Selbstvertrauen und positiven Umgang mit der Veränderung.

Margarethe Schindler
Als meine Kinder anfingen, erwachsen zu werden
Ein Mütter-Buch
Band 5096
Die bekannte Psychologin schreibt von ihren drei Kindern und von ihren Gefühlen: Hoffnungen und Sorgen, Erinnerungen und inneren Konflikten.

Theo u. Julitta Schoenacker/John Platt
Die Kunst, als Familie zu leben
Ein Erziehungsratgeber nach Rudolf Dreikurs
Band 4782
Kinder sind von klein an ernst zu nehmende soziale Wesen. Wie man diese Anlagen entdeckt und eine entspannte Beziehung aufbaut, zeigt dieses Buch.

HERDER spektrum